History of Chinese Culture

中国文化简史

王立——主编

春秋战国
秦汉文化简史

百家争鸣与
大一统

北京出版集团公司
北京出版社

图书在版编目（CIP）数据

百家争鸣与大一统：春秋战国秦汉文化简史／王立
主编. — 北京：北京出版社，2017.2
　　（中国文化简史）
　　ISBN 978－7－200－12675－4

　　Ⅰ. ①百… Ⅱ. ①王… Ⅲ. ①文化史—中国—春秋战
国时代②文化史—中国—秦汉时代 Ⅳ. ①K220.3
②K232.03

中国版本图书馆 CIP 数据核字（2016）第 313574 号

丛书主编：王　立
主　　编：纪云华　杨纪国
编　著：纪云华　杨纪国　王舜舟　王　超　王元崇
　　　　徐　东　别志雷　冀永文　秦　超

中国文化简史
百家争鸣与大一统
春秋战国秦汉文化简史
BAIJIA ZHENGMING YU DAYITONG
王　立　主编

＊
北京出版集团公司
北京出版社　出版
（北京北三环中路 6 号）
邮政编码：100120
网　　址：www.bph.com.cn
北京出版集团公司总发行
新华书店经销
北京华联印刷有限公司印刷
＊
787 毫米×1092 毫米　32 开本　9 印张　163 千字
2017 年 2 月第 1 版　2017 年 2 月第 1 次印刷
ISBN 978－7－200－12675－4
定价：38.00 元
如有印装质量问题，由本社负责调换
质量监督电话：010－58572393

前　言

青山依旧在，几度夕阳红

折戟沉沙铁未销，自将磨洗认前朝。

中国古代文化，恰似长夜浩瀚的星空，令人向往迷醉。

这样的星空，让人无论是在细雨如麻的黄昏还是在初雪飘飞的清晨，都会情不自禁地想起。想起若隐若现的圣贤思绪、气象万千的金戈铁马、婉转绵长的书道传承、潇洒风流的诗情画意，甚至湮灭消失在历史银河中的峨冠博带、丝绸之路上的宛马驼铃……

天高野阔，星空浩瀚，历史无穷。

中国古代文化史便是研究犹如神秘星空的中国古代文化产生、发展、演变及其规律和特点的一门学科。长期以来，人们对于"文化"的概念和内涵有很多种不同的理解，大体而言，广义的文化概念是指人类所创造的物质文化和精神文化的总成就，而狭义的文化则是专指精神文化而言，即社会意识形态以及与之相适应的典章制度、政治和社会组织、风俗习惯、学术思想、宗教信仰、文学艺术等。本书所要论及的古代文化史，则是侧重古代学术思想、道德教育、宗教信仰、文学艺术、建筑风格、民俗风尚和相互作用、相互影响的中外文化交流以及隐藏在其中的时代风骨和文化特色。

但是，与以往包罗万象、千篇一律的文化史不同的是，本书展现了历史发展中最关键的观念和物质文明中最动人的细节。

在分期上，本书不拘泥于以往的通史，而以时代反映出的文化气韵为主线，从先秦的自由争鸣到秦汉的大美气象、从魏晋南北朝的多元洒脱到隋唐的恢宏壮美、从宋代的转向内在到清代的"夕阳无限好，只是近黄昏"，将那些年代缤纷如许的时代精神和各具特色的心理特征，沥干了时间的水分而抽象出来。刘勰曾经用"枢中所动，环流无倦"的生动比喻来说明文学风格的变化是有规律的，而比文学复杂深奥得多的文化史同样也是兼具时代特色和共性的。

在内容上，本书不求面面俱到，而取最具特色的吉光片羽。春秋战国的理性思辨，秦汉的大美建筑和音乐，魏晋的多元思想、意到笔随的书艺，盛唐的诗歌，宋元的词山曲海，明清的文学天地的"古今笑谈"等等，都作为滋润后世的不竭清泉而被凸显了出来。

徜徉历史浩渺之长河，追寻前辈先贤之足迹。

上下五千年，纵横八万里。千古兴亡多少事？悠悠，不尽长江滚滚流！

甲申年暮春于北京

目　录

春秋战国

一、理性思辨时代的到来——百家争鸣 …… 003

天子失官学——士的崛起 …… 004

儒学的兴起与流传 …… 009

孔子——为了理想而来，为了理想而离开 …… 009

孟子——正义在胸的儒丈夫 …… 016

荀子——儒学新天地的开拓者 …… 020

道家的理想 …… 026

老子——跨越时空的智者 …… 027

庄子——浪漫的民间诗人 …… 032

墨子——黑暗王国的理想主义者 …… 038

韩非子——帝王术的鼓吹者 …… 045

思想的交汇——稷下学宫 …… 049

二、现实与浪漫——中国文学的两大传统 …… 056

《诗经》——朴素的歌声 …… 056

屈原与他绮丽张扬的楚辞艺术 …… 064

三、叙事与说理——先秦散文的主旋律 ………… 076

《孟子》——气势浩然的辩言 ………… 076

《庄子》——哲学的天籁 ………… 081

《左传》——乱世的青史 ………… 084

《战国策》——隽永的说辞 ………… 089

秦汉

一、秦汉时代的恢宏豪放 ………… 097

从百花争妍到四海归一 ………… 097

楚文化——浪漫与神秘 ………… 098

齐文化——务实求功 ………… 101

燕赵文化——慷慨悲歌 ………… 105

西秦的崛起——从政治统一到文化统一 ……… 107

汉文化——楚文化与秦文化的合流 ………… 113

浓厚迷信色彩的信仰 ………… 117

多神教与神仙方术 ………… 118

儒学·经学·谶纬 ………… 121

对外交流——会通中西 ………… 129

流风东被 ………… 129

开化南方 ………… 134

沟通西域的丝绸之路 ………… 136

帝国建筑——壮丽以重威 ……………………………… 148

都城风貌——威武壮丽 …………………………… 148

宫苑园林——巨丽堂皇 …………………………… 153

陵墓造型——高若山陵 …………………………… 157

乐舞百戏——刚健优雅 ……………………………… 162

雅乐与俗乐 ……………………………………… 162

太乐和乐府 ……………………………………… 165

健美宏大的乐舞 ………………………………… 167

大型歌舞剧——相和歌与鼓吹乐 …………… 174

角抵百戏——丰富多彩 ………………………… 177

体育世界——活泼多姿 ………………………… 181

秦汉时期的艺术风格 ……………………………… 184

雕塑品味——沉雄豪迈 ………………………… 184

画像石和画像砖——凝固的生活旋律 ……… 196

书法艺术——承前启后的转变 ……………… 201

文学殿堂——铺张扬厉 …………………………… 204

论说散文——指点江山 ………………………… 204

历史散文——雄视百代 ………………………… 209

汉代大赋——铺陈夸张 ………………………… 214

二、东汉的起承转合 …………………………………… 220

艺术风格——现实与细致 ……………………… 220

雕塑品味——走向世俗和生动 …………………… 221

绘画主旨——从仙界到人间 ……………………… 227

文学艺术——直面现实 ………………………… 235

乐府民歌 ……………………………………… 236

文人五言诗 …………………………………… 242

抒情小赋 ……………………………………… 245

信仰世界——再造传统 ………………………… 249

佛教东来 ……………………………………… 249

原始道教形成 ………………………………… 255

附录

春秋战国·秦汉 ………………………………… 265

春秋战国

中国古代文化史上的首个盛世

公元前770年，面对来自异域的威胁，周平王在贵族和诸侯的护卫下，从镐京（今陕西西安）东迁到洛邑（今河南洛阳），此后衰落的周朝被称为东周。从此周王朝失去了控制四方诸侯的力量，中华民族的历史进入了一个特殊而绚丽的时代，即春秋战国时期（前770～前221）。

在此前的公元前841年，历史上恶名昭著的周厉王的残暴统治终于导致了"国人暴动"，周厉王出逃，朝政由诸侯共管，史称"共和行政"，这一年就是共和元年，这是中国历史确有纪年的开始，但是随着夏、商、周断代工程的进展，这一结论也许会受到新的挑战。尽管三代及其以前的历史在时间纪年上还蒙昧不清，但我国古代文明的成就是世界瞩目的，考古实践已经证明了这一点。正是在早期文化积淀的基础上，才有了后来中国古代文化史上的第一个盛世。

"高岸为谷，深谷为陵。"《诗经·十月之交》中的这句话，形象而又经典地描述了春秋时期社会的翻天覆地的变化：天子失却了对诸侯的权威，诸侯国间的兼并战争此起彼伏，等级阶层流动变化，学术下移，"士"阶层兴起，学术与思辨之花滋润成长……"战国者，古今一大变革之会也。"王夫之的这句话一语中的。依然是诸侯林立，只是高高在上的已经不再是世家大族，而是新兴的统治者，他们集中力量为生存和争霸而奋斗，于是适应社会变动的改革在各国酝酿开来。伴随着政治、经济等方面的激烈而深刻的变革，在思想文化领域出现了中国历史上百家争鸣的群星璀璨时代。

一、理性思辨时代的到来——百家争鸣

"道术将为天下裂"，这是一个辉煌的开始，而不是往昔悲哀的结局，正是有了这样的开端，才形成了争鸣的焰火。百家争鸣既是各个学派之间的交锋与激荡，又指学派巨子对诸侯的游说，这是学以致用的实践。《汉书·艺文志》说："诸子十家，其可观者，九家而已。皆起于王道既微，诸侯力政，时君世主，好恶殊方。是以九

春秋列国形势图

家之术，蜂出并作，各引一端，崇其所善。以此之驰说，取合诸侯。"士作为文化的载体，成了争鸣的主体，于是与以"辩"干世主、行己道为特色的战国政治生活背景相适应，论辩和游说成了争鸣的重要主题，各家各派竞相展颜。西汉初的司马谈把诸子百家概括为阴阳、儒、墨、名、法、道六家，西汉末年的刘歆则把其概括为包括农、纵横、杂、小说在内的十家，而在这十家中，最重要最突出的莫过于道家、儒家、墨家和法家了。

天子失官学——士的崛起

士的崛起是春秋战国之际的显著变化。

这一阶层在中国古代首个"礼崩乐坏"的时代留下了活跃的思想和忙碌的身姿。他们从巫士手中接过了原本垄断的教育指挥棒，不遗余力地宣传自己的思想和主张，时刻不忘地思考社会变迁；他们疲于奔命地在各国之间穿梭，有着强烈的参政意识和入世情节……春秋战国时期，士已经成为社会的重要力量，他们通过自己的方式影响着国君的决策和社会倾向，又在社会的另眼看待中实现了自信心的高涨和活跃，于是士作为政治智囊、军事参谋、外交使节和思想精英，连同他们的思想和影响，都光辉体面地被载入了历史。

士的说法很早就有了。据《尚书·尧典》记载，在舜的时代主管刑罚的皋陶就曾经被任命为"士"。从传统观念来看，春秋以前的士是同宗法、等级制紧密联系在一起的，《左传》桓公二年晋大夫师服说："吾闻国家之立也，本大而末小，是以能固，故天子建国，诸侯立家，卿置侧室，大夫有贰宗，士由隶子弟，庶人工商各有分亲，皆有等衰。"殷商和西周早期的"士"属于统治阶级，虽然只是宗法等级制中的低级贵族，但有一定的政治地位。据古代文献所载，人们习惯上将这一时期的宗法等级社会结构排列为：天子——诸侯——卿大夫——士——庶人。可见士是位于卿大夫与庶人之间、有一定食田、有一定庶民为他们服务的低级统治阶层，他们只能依附于卿大夫而存在。

但是，在春秋中晚期，礼崩乐坏，原有的森严的等级制度被摧毁，随之而来的诸侯争霸对人才的需要又为

大盂鼎铭文

士阶层施展才学提供了广阔的天地，这样，历史的转变为"士"摆脱对卿大夫的依附而获得独立和生机带来了前所未有的契机。

士的崛起，原因是多方面的。生产力的发展是无论何时都不能忽略的因素。铁器的发明和使用为社会创造了更多的财富，经济因素加速了社会变革和旧秩序解体，也就促进了不同阶层间的流动。体现在士的来源上就是一部分贵族，主要是卿大夫，身份下跌，颓降为士。前一阶层地位的下降，如葛兆光在《七世纪前中国的知识、思想与信仰世界》里所说的，"造成了春秋时代思想与知识权力的下移"。同时为士的另一个来源提供了便利。

另一方面来源就是大量身份卑微但是受过教育、或谋略或勇武的人地位上升为士，他们"形成一个不拥有政治权力却拥有文化权力的知识人阶层"。《吕氏春秋·博志》记载了这样一个很典型的例子："宁越，中牟之鄙人也，苦耕稼之劳，谓其友曰'何为而可以免此苦也？'其友曰'莫如学，学三十岁则可以达矣。'宁越曰'请以十五岁。人将休，吾将不敢休；人将卧，吾将不敢卧。'十五岁而周威公师之。"如果说孔子时代的士还只能要么为纯粹的理想徒劳奔波，要么是卿大夫的家臣的话，那么战国时期的士则要风光得多——一方面"合则留、不合则去"的原则体现了他们的自由和随意，另一方面对士的礼遇也已经成为社会的共识，甚至在某种程度上，它还被与

"一国之君至少要礼贤下士才能治国"联系在一起。

社会财富的增加使得大批士"不耕而食"成为可能，尤其是在他们发现这一点并不难实现以后，影响到整个社会的利欲心的膨胀，这不仅使诸侯国君践踏礼俗，就是小民也在蠢蠢欲动伺机追求自己的人生梦想。当上古原始的宗法制度受到严峻挑战、原本平静的生活变得骚乱的时候，正是这些有识之士首先看到了社会变革的曙光，于是他们凭借心智和口舌开始重新寻找生活出路和进行人生价值定位，他们的自我觉醒的实践以及由此而带来的自信的结果，使他们越来越活跃。此时，作为文化知识的掌握者，他们依靠知识和技能立足于社会。

春秋战国之际，依靠文化知识而获取职业的新兴士人以孔、墨两家弟子最为典型。《吕氏春秋·尊师》记载："子张，鲁之鄙家也；颜涿聚，梁父之大盗也，学于孔子；段干木，晋国之大驵也，学于子夏；高何、县子石，齐国之暴者也，指于乡曲，学于墨子；索卢参，东方之巨

甲骨上的文字

狡也，学于禽滑黎。此六人者，刑戮死辱之人也。今非徒免于刑戮死辱也，由此为天下名士显人，以终其寿，王公大人从而礼之。此得之于学也。"而战国前期，以宁越为代表的"中牟之民，弃田圃而随文学者邑之半"的情形，更说明庶人为学改变身份上升为士人已经成为一种社会风气。

同时，这些有知识、思想和谋略的人用自身的行动突显了自身的价值。他们能对时势作出较为准确的判断，能为国君霸业提供更多获胜的筹码，因此他们赢得了最高统治者的信任和重用，从而在当时的政治和军事斗争中发挥着日益重要的作用。而且，那些有宏图之心的国君为了实现自己的政治抱负就必须招揽人才，这也为士的崛起开辟了市场。顾炎武在《日知录·士何事》中说："士、农、工、商，谓之四民，其说始于《管子》。三代之时，民之秀者乃收之乡序，升之司徒而谓之士……春秋以后，游士日多。《齐语》言桓公为游士八十人，奉以车马衣裘，多其资币，使周游四方，以号召天下之贤士，而战国之君遂以士为轻重，文者为儒，武者为侠。"

士的崛起，是社会变革和旧秩序解体的产物，它反过来又进一步对旧有的宗法制社会模式形成强烈的冲击。正是由于士阶层的崛起和由之而来的思想的碰撞，才碰撞出春秋战国时代"百家争鸣"的智慧之火，并使其成为代代相传的中华文化因子的一部分。

儒学的兴起与流传

春秋战国基本上是中国文化由以宗教意识为主体的思考向以哲学思辨为主体的思考过渡的时代，在王室权威不在、"天无天子，下无方伯"的时候，对传统的反思和怀念似乎就更加名正言顺了。正如牟宗三在《中国哲学十九讲》中论先秦诸子起源时所讲的那样，孔子创立儒学和老子讲无为之道，都是针对"周文疲弊"有感而发。孔子开创的儒学是最有生命力和影响力的——对孟子、荀子的影响还仅仅是开始而已。在孔子的带领下，孟子、荀子等人在先秦时代相继踏上了儒家道德哲学的求用之路，经历了从"仁"到"仁义"，从"性善"到"性恶"的转变之后，儒家理想越来越接近政治和实用了。

孔子——为了理想而来，为了理想而离开

"生活在春秋末期的孔子绝对不是像后来我国封建社会的统治者所吹捧、所神化的那样，是什么不食人间烟火的'文宣王''大成至圣先师'等等，他也是一个现实社会中有血有肉的人。"这是汤一介在《孔子这个人和他的那个时代》一文中对孔子形象的朴素辩白。在九鼎失却原位、三礼流失民间的时代，孔子是个地地道道的理想主义者，他带着"仁""礼"的信念，执著地往返在理想与

孔子画像

碰壁之间，就连宋人蔡季通也说："天不生仲尼，万古长如夜。"

孔子（前551～前479），名丘，字仲尼，春秋末期鲁国人。儒家学派的创始人，伟大的思想家、教育家。孔子的远祖是宋国贵族，殷王室的后裔。周武王灭殷朝后，封殷宗室贵族微子启于宋，正是孔氏的远祖。孔子六世祖孔父嘉曾任宋大司马，后来被杀，其后代便避难奔鲁。孔子父亲名纥，字叔，又称叔梁纥，是一名以勇力著称的武士。据说叔梁纥是老来得子，这个"九尺又六寸"的"长人"就是孔子。

孔子早年丧父，家道衰落，他自己也说过："吾少也贱，故多能鄙事。"孔子年轻时曾做过管理仓廪和放牧牛羊的小官。虽然生活贫苦，但十五岁就"志于学"。三十岁以后，就开始授徒讲学了。凡带上一点"束脩"的，都被收做学生，如颜路、曾点、子路、伯牛、冉有、子贡、颜渊等，他们是较早的一批弟子。孔子的授学打破了"学在官府"的传统，进一步促进了学术文化的下移。后来鲁国发生内乱，孔子便奔齐，不见用而重返鲁，"退而修诗书礼乐"。在五十一岁的时候，孔子受聘为鲁国的中都宰，"行之一年，四方则之"，遂由中都宰迁升司空，再升为大司寇。之后孔子为加强公室，抑制三桓，援引古制"家不藏甲，邑无百雉之城"，提出"堕三都"计划，在实践受阻后，他又带领颜渊、子路、子贡、冉有等十余弟子离开"父母之邦"，开始了长达十四年之久的周游列国的颠沛流离生涯，这一年孔子已经五十五岁了。

鲁哀公十一年（前484），六十八岁的孔子回到了鲁国，之后致力于整理文献和教习子弟。他系统地整理了中国文化的宝典，除删《诗》《书》、订礼乐之外，他又集中精力，根据他本国鲁国的历史资料，著作了一部有名的历史和历史哲学的书——《春秋》。鲁哀公十六年（前479）孔子去世。最能体现孔子思想的著作就是《论语》，这是孔子的弟子及再传弟子们记载孔子及其弟子言行的书，共分二十篇，约二万字。

在那个礼崩乐坏的时代，孔子政治主张的核心就是"礼"、"正名"和仁政。孔子是推崇周礼的，"周监于二代。郁郁乎文哉，吾从周。"身为殷人的后裔却推崇周礼，正像他在《为政》中认为的"殷因于夏礼，所损益，可知也；周因于殷礼，所损益，可知也。其或继周者，虽百世，可知也。"孔子确是坚持这样的原则的，当他看到诸侯们有违礼法的举动时，他愤怒极了；就是对他喜爱的弟子颜渊，他也力排众议，坚决反对厚葬。当然，孔子并不是盲目地推崇周礼，他也主张对周礼进行适当、温和的改良，他在《论语》卷二《为政》中说道："道之以政，齐之以刑，民免而无耻；道之以德，齐之以礼，有耻且格。"他主张用"德"和"礼"来补充"政"和"刑"的不足，"上好礼，则民莫敢不敬。"把礼看做是维护统治秩序的重要依据。

子路曰："卫君待子而为政，子将奚先？"子曰："必也正名乎！"子路曰："有是哉，子之迂也！奚其正？"子曰："野哉，由也！君子于其所不知，盖阙如也。名不正，则言不顺；言不顺，则事不成；事不成，则礼乐不兴；礼乐不兴，则刑罚不中；刑罚不中则民无所措手足。故君子名之必可言也，言之必可行也。君子于其言，无所苟而已矣。"孔子的理由是名分不正，说出话来就不顺；说出话来不顺，事情就做不成；事情做不成，礼乐就兴不起来；礼乐兴不起来，刑罚就不能得当；刑罚不能得当，人们就会连手足都不晓得安放在哪里好。所以君子一定要出个名分，事情才可以处理得当。齐景公问政于孔子，孔子对曰："君君，臣臣，父父，子子。"希望把由社会变动而破坏的"名""实"关系匡正过来，这是他对僭越礼法、暴力混乱的社会现实提出的挑战，这无疑就是孔子四处碰壁的一个因素。当诸侯们都为贪欲驱使着跃跃欲试的时候，谁会驻足思考一下它是否符合古礼呢？

举贤能，行仁政，也是孔子的重要政治主张。他希望能通过教化来治理国家，反对利用武力，同时强调对君主的教化。孔子倡导的这种政治关系是一种道德教化关系，他并不是要君主们放弃自己的权力，也不是要开启以权利、利益要求为主的民智，而是"民可使由之，不可使知之"，这种道德教化要放在治理民众的政治核心位置，而且他也强调君主自身的修养和道德品质在政治中的重要地位，使其所具有的修养和品质在政治管理上体现出来，惠施于民。

"仁"是孔子伦理思想的核心，它是孔子在《论语》中使用频率最高的词之一。正是在这个基础上，他极力倡导国君实行仁政。对于"仁"的解释，散见于《论语》的许多条目之中，它以或问或答或自语的形式出现，因人、因时、因地而有不同的阐发。

孔子的弟子颜渊、仲弓、司马牛、樊迟、子贡等都曾向孔子问"仁"，而对于这些才智各异、禀赋不同的学生，孔子做出的答复是相互不同的，他答复颜渊的那句话是阐述"仁"最清楚的了："克己复礼为仁，一日克己复礼，天下归仁焉。""克己"就是约束自己，"复礼"就是把不合礼仪的言行纳入礼的规范，也就是说"仁"就是使自己的言行符合礼法，从而解释了"仁"与"礼"的关系，可见"仁"的标准就是"礼"。"克己复礼"的具体内容在孔子看来就是"非礼勿视，非礼勿听，非礼勿言，非礼勿动"。他要求统治者能主动约束自己的言行，成为"仁者"。在孔子看来，"仁"的含义是广泛的，它包括"忠""信""勇""孝"等一切符合"礼"的范畴。《论语》记载："子张问仁于孔子。孔子曰：'能行五者于天下为仁矣。'请问之，曰：'恭、宽、信、敏、惠；恭则不侮，宽则得众，信则人任焉，敏则有功，惠则足以使人。'"

有人把"仁"归结为"忠恕"二字，其实孔子决不主张愚忠和滥恕，他总是区别对待"邦有道"和"邦无道"两种情况。追求"仁"，有很多条道路，但是孔子最欣赏的则是"知之者不如好之者，好之者不如乐之者"。于是在那次有名的子路、冉求、公西华和曾点纷纷讲述自己志愿的对话中，夫子才会"喟然叹曰：'吾与点也'"，那就是"莫春者，春服既成，冠者五六人，童子六七人，浴乎沂，风乎舞雩，咏而归"。只有这样的志向才是在寻美的过程中实现个体人格和人生自由，这与孔子毕生所追求的立身处世的最高境界——仁，是和谐统一的。如李泽厚在《美学三书》中所言："这个仁学的最高境界恰恰不是别的，而是自由的境界，审美的境界。"

孔子在天命鬼神观上态度暧昧，一边承认自然之天的四季运转和万物生长，一边还说"获罪于天，无所祷也"。对鬼神的态度也一样，他一方面赞美禹对鬼神的孝顺，一方面又说祭祀与自己无关的鬼是谄媚的行为，这就像他奔走各国之间，希望有所见用，却口口声声称"君子不器"一样。在认识论上，他认为："生而知之者，上也；学而知之者，次也；困而学之，又其次也；困而不学，民斯为下也矣。"尽管如此，他从来没有称许过任何人是"生而知之"的，而是主张"学而知之"。他的"叩其两端而竭焉"的中庸论调是其学术富有强大生命力的重要原因。

孔子在个人成长和人格修养上有很多精到的见解，他强调"兴于《诗》，立于礼，成于乐"和"志于道，据于德，依于仁，游于艺"。一方面注重技艺的获得，另一方面也强调审美愉悦的实现，将人格修养的最高境界理解为一种自由的艺术境界，而不是刻板的道德境界。李泽厚对此评论为："在志于道等之外提出游于艺，表现了孔子对于人的全面发展的要求，主张人应当在驾驭客观世界的规律性中取得身心的全面自由，同时也说明了孔子对艺术在实现人的全面人格理想中的作用的重视。"孔子本人也是这样追求的，他对音乐有着极为浓厚的兴趣，曾"访乐于苌弘""在齐闻《韶》，三月不知肉味"，特别是"困于陈蔡"时还"七日弦歌不绝"。对于《诗》，他更是"三百五篇皆弦歌之"。

也正是他这样的崇高追求和人格魅力吸引了一批批

的追随者。"有教无类"的口号打破了学在官府的垄断，孔子在民间的土壤里撒播了至少三千粒种子，这使得孔子的理论在他去世后的岁月里，依然能够如同星辰般在各处闪亮。

孟子——正义在胸的儒丈夫

孟子（前372？~前289），名轲，邹人，是孔子的孙子子思的再传弟子，战国中期儒家学派的著名代言人。

孟子生活在暴力与阴谋交织的战国时代，像他极力推崇的圣人孔子一样，他高举唐尧三代之德和仁政、王道之旗，自以"王者师"的身份奔走呼号于诸侯国之间，甚至在年近七十的时候，还怀着青年时代的激情，义正词严地劝说梁惠王实行仁政王道，结果也只能像当年的孔子一样，在一个地方失望之后又去别的地方寻找新的希望。在齐国，他得到的待遇要好一些，做了齐宣王的卿士，然而他也只能是摆设在仁义桌上的一个花瓶而已，当他意识到自己的尴尬处境之后，他又一次选择了离开。

孟子在暮年选择了和孔子一样的生活，退居故乡，只和公孙丑、万章等学生一起"序《诗》《书》，述仲尼之意"，《孟子》一书就是在这样的情况下完成的，它浓缩了孟子思想的精华。

孟子十分推崇孔子，认为"孔子圣之时者也，孔子之谓集大成""自有生民以来，未有盛于孔子也"。他以孔子的继承人自任，认为"五百年必有王者兴"，从尧舜到商汤，从商汤到周文王，都是经过五百年，从周文王到孔子有五百多年，到他那时又有一百多年，因此"以其数则过矣，以其时考之则可矣"。

孟子继承孔子学说的同时还把孔子的"仁"发展为政治上的"仁政"。他主张国君要"推恩""推其所为""以其所爱及其所不爱"，也就是国君要把本性中的"善"加以推广，能够做到这样，就是所谓"仁"；他曾竭力排斥"利"而讲究"仁义"，主张推行"仁政"，实行"王道"；他极力提倡效法先王，尧舜、文王都成为了他宣传自己主张的王牌："尧舜之道，不以仁政，不能平治天下。""文王视民如伤。""师文王，大国五年，小国七年，必为政于天下矣。"孟子在此基础上把政治分为了"霸道"和"王道"两种，即"以力假仁者霸"，"以德行仁者王"，而"王道"正是他所追求的"仁政"。"施仁政于民，省刑罚，薄税敛，深耕易耨""尊贤使能，俊杰在位"等是他具体的施政主张；孟子还从统治基础的角度提升了民众的地位，提出了"民为贵，社稷次之，君为轻"的前卫思想。"故凡同类者，常相似也。何独至于人而疑之？圣人与我同类者"。这已经是开宗明义的人的本体论宣言了。也许等级观念已经不再是一块没有缝隙的铁板，贵族、没落贵族的气息在孟子身上已经微弱得近乎停止了呼吸，他才可以扫却那种普遍的皈依感，站在另一个对立的角度——民间视角——来重新审视王权。"闻诛一夫纣矣，未闻弑君也。"这就是他对纣王悲剧下场的看法，因而君主"与民同乐""同忧"就是十分必要和合理的了。

孟子曾借《诗经·大雅·灵台》中文王建灵台的历史故事，向梁惠王阐述与民同乐的重要性和之后意想不到的快乐，并且把它和天下人诅咒纣王早亡的故事进行意味深长的对比。可是结果呢？司马迁在描写邹衍受到君王的礼遇，如日中天的时候，也顺便道出了孟子的窘境："岂与仲尼菜色陈蔡，孟轲困于齐梁同乎哉！""持方枘而内圆凿，其能入乎？"也许从孟子初见梁惠王时所遭受的那种怀疑和不屑就可以嗅出后来的结局："叟，不远千里而来，亦将有以利吾国乎？"正如南怀瑾在他的《孟子旁通》中所说的那样"便是梁惠王对孟子的称呼，既没有像春秋时代诸侯对孔子的敬重，尊称一声夫子；也没有像战国当时诸侯们礼贤下士的作风，尊称一声先生。他却干干脆脆地称呼一声'叟'。"

"孟子道性善，言必称尧舜"，性善论是孟子学说的主要出发点。他认为"恻隐之心""羞恶之心""恭敬之心""是非之心"，本来人人都有，这是天生的仁、义、礼、智的根苗，人们口、耳、目等感官的反映是相同的，因此人心也是相同的。正因为人都有同情心，也就是"仁"的萌芽，那么把这种同情心扩而充之运用到政治

中去，就是"仁政"了。孟子倡导的这种"性善论"成为
了儒家政治学、伦理学、哲学的根基之一。那么，为什么
人有不善的呢？孟子认为这是由于外界事物的陷溺，由于
没有对原来的善性加以培养而造成的。为了避免外界事物
的引诱，首先要从"不动心"和"寡欲"做起，认真扶植
仁心的苗子，最后"养浩然之气"，这种气充塞于天地之
间，便可以回复和扩充人们的善性了。这就是孟子倡导的
修身理论。

蔡元培在《中国伦理学史》中说："孔子以君子代表
实行道德之人格。孟子则又别以大丈夫代表之。其所谓大
丈夫者，以浩然之气为本。"可见，孟子所推崇的理想人
格就是大丈夫。

有一次，孟子与纵横策士景春进行了一场关于什么样
的人才能称得上是大丈夫的辩论。景春十分推崇当时的纵
横家公孙衍、张仪等人，认为他们"一怒而诸侯惧，安居
而天下熄"。孟子却不同意景春的意见："是焉得为大丈
夫乎？子未学礼乎？丈夫之冠也，父命之；女子之嫁也，
母命之，往送之门，戒之曰：'往之女家，必敬必戒，无
违夫子！'以顺为正者，妾妇之道也。居天下之广居，立
天下之正位，行天下之大道。得志与民由之，不得志独行
其道。富贵不能淫，贫贱不能移，威武不能屈。此之谓大
丈夫。"就是说男子长大成人行冠礼的时候，由父亲主持
其事，并加以教导；女儿出嫁时，母亲将她送到门口，并

告诫说：到了婆家，一定要恭敬谨慎，不要违背丈夫的意志！以婉顺为准则，这是妇人女子之道。要居住在天下最宽大的住宅——仁里面，站在天下最高大的位置——礼上面，走天下最光明的大路——义。得志时能与老百姓一起循着大道前进；不得志时，也要独自坚持自己的原则。厚禄高官不能扰乱心智，家贫位卑不能改变操行，威力相逼不能挫倒志气，这样的人才称得上是大丈夫。

为了达到这样的精神境界，孟子强调人要在艰苦中磨炼意志。因此，他说："故天将降大任于斯人也，必先苦其心志，劳其筋骨，饿其体肤，空乏其身，行拂乱其所为，所以动心忍性，增益其所不能。"

也许这种凛然难犯的铮铮傲骨正是孟子令人特别心仪的地方。"王何必曰利？亦有仁义而已矣。"就是如此针锋相对。

荀子——儒学新天地的开拓者

作为混乱时代的最后一个儒家代表，荀子对儒学的振兴功不可没，尽管后来韩愈和理学大家们极力把他排除在儒家道统之外。儒学经过孔子与孟子的理论建设和周游谏说，已经成为了当时的"显学"，然而这套道德理想在现实政治中并没有受到实践上的青睐。在诸子纷论的压力中，荀子及时地整合诸家思想，继承和创新孔孟之学，开拓了儒家新局面，使儒学在与现实政治结合的道路上越走越近。

荀子（前325？～前235？），名况，字卿，汉朝时为避汉宣帝刘询讳，称孙卿，战国时期赵国人。据《风俗通义·穷通》记载："齐威、宣王之时，聚天下贤士于稷下……孙卿有秀才，年十五始来游学。"然而齐国君刚愎自用，在劝谏不从、诸儒"各分散"后，荀子就去了楚国。齐襄王在位时（前283～前265），荀子又回到齐国稷下学宫讲学，并三次被推为祭酒。

在范雎相秦期间（前266～前255），荀子迈出了儒家开拓性意义的一步——入秦。这位年已花甲的儒家老骥仍然想着开辟新天地，对西部边陲的秦国心有所系。他打破了"儒者不入秦"的传统，亲自去秦国考察，可是他最后只发现"殆无儒"是"秦之所短"，这里"形胜""百姓朴""百吏肃然"，士大夫"明通而公"，朝廷"听决百事不留""治之至"，可是秦昭王还是心存"儒无益于人

荀子画像

之国"的疑问，于是在明确那里只能是法家的天下之后，荀子又来到了楚国。他被春申君任命为兰陵令，可是不久又身受谗言而辞楚赴赵，被赵国拜为上卿，之后又被春申君请回，复任兰陵令。也许在以武力和强权为后盾的争霸时代，荀子最终只能选择著书立说的道路。《荀子》一书是他毕生思想的结晶，今存三十二篇。

荀子批判地继承和改造了儒家关于"王道"和"礼治"的思想，又批判地总结和吸取了法家推行"霸道"、实行"法治"的经验，把"王道"和"霸道"、"礼治"和"法治"结合起来，提出了"隆礼""重法"的政治论。

荀子认为"国之命在礼"，"人无礼则不生，事无礼则不成，国家无礼则不宁"。所以，为政者必须"修礼以齐朝，正法以齐官，平政以齐民"。荀子"以礼治国"的思想继承和发展了孔子"为国以礼"的思想；荀子还从人性恶的观点出发，对"礼"的起源及其内涵作了发挥，"礼起于何也？曰：人生而有欲，欲而不得，则不能无求，求而无度量分界，则不能不争。争则乱，乱则穷。先王恶其乱也，故制礼义以分之，以养人之欲，给人之求。使欲必不穷乎物，物必不屈于欲，两者相持而长，是礼之所起也"。礼是统治的准则，他说"礼者，表也"。所谓隆礼，就是要朝廷审贵贱、重官秩、明职分、尽其职，使士大夫"敬节死制"、使百吏"畏法而遵绳"。正如李泽厚在《中国古代思想史论》中所说："它才不再仅仅着眼于个体的仁义孝悌，而是更强调整体的礼法纲纪，并认为前者是服从于后者的。"因此"入孝出悌，人之小行也。上顺下笃，人之中行也。从道不从君，从义不从父，人之大行也。若夫志以礼安，言以类使，则儒道毕矣。虽舜不能加毫末于是矣。"从而也就很自然地要"法后王，一制度""隆君权""主一尊"。

"法者，治之端也。"在荀子看来，正法就要执法者正，即法要由君子来执行，执法要公平中正，刑罚当罪。"故有良法而乱者，有之矣，有君子而乱者，自古及今，未尝闻也。"只有"征暴诛悍""杀人者死，伤人者刑"，才能"治之盛"。因而选贤使能就显得十分重要，"尚贤使能，则主尊下安"。"虽王公士大夫之子孙也，不能属于礼义，则归之庶人，虽庶人之子孙也，积文学，正身行，能属于礼义，则归之卿相士大夫。"

同时，荀子没有固守孔孟的"仁政""王政"，而主张兼王霸，他认为单纯的"王"和单纯的"霸"各有长处，又各有不足。单纯的"王"可以存国安民，而不可应变创业，单纯的"霸"足以兼并而不足以坚凝。兼王霸就是主张兼取"王""霸"的长处，以弥补其各自的不足，在保持孔孟"王道"的基础上采用"霸道"，以创业应变。

"天人之分"与"人定胜天"的天道观也是荀子的著名思想。在荀子的著作中，《天论》篇是非常杰出的。

荀子认为天的变化是自然的变化，而且这种变化是有规律的，所谓"天行有常，不为尧存，不为桀亡""天不为人之恶寒也，辍冬；地不为人之恶辽远也，辍短"。荀子认为日蚀和月蚀的出现、风雨的失调、怪星的偶然出现等都是世代常有的事。在种种自然的变化中，万物是各得其"和"以生，各得其"养"以成的。"天有其时，地有其财，人有其治。"荀子肯定"天"是自然的天、物质的天，完全按照自己的规律运行变化，与人类社会的治乱毫无关系。这种"天人相分论"第一次把天与人、自然现象与社会现象区分开来，做出符合于当时生产力和科学水平的唯物主义的解释。他强调人类在认识自然、改造自然中的主观能动作用，主张"制天命而用之"，即掌握自然的变化规律而利用它，这是光辉的人定胜天思想。

在伦理方面，与孟子的"性善论"相反，荀子主张性恶论。他认为人的天性本来就是恶的，凡是善都是人"伪"的。"人之性恶，其善者伪也。今人之性，生而有好利焉，顺是，故争夺生而辞让亡焉；生而有疾恶焉，顺是，故残贼生而忠信亡焉；生而有耳目之欲，有好声色焉，顺是，故淫乱生而礼义文理亡焉。然则从人之性，顺人之情，必出于争夺，合于犯分乱理而归于暴，故必将有师法文化、礼义之道，然后出于辞让，合于文理，而归于治。"荀子认为天生的人有自然的欲望，"凡性者，天之就也"，并且这种欲望是恶的，如果听其自由发展，就会发生争乱，因此必须用"礼义"等来矫正，然后才能天下太平。因此他所谓的"性恶"，就是指人们的本性"偏险悖乱"，需要"为之立君上之势以临之，明礼义以化之，起法正以治人，重刑罚以禁之。"荀子的性恶论，实际上是他"礼治"主张的理论依据。

在认识论上，荀子继承和发展了孔子关于"学而知之"的思想，不承认有什么"生而知之者"，否认"唯上智与下愚不移"的唯心主义说法。荀子明确肯定人的本性具有认识客观事物的能力，客观事物也是可以被认识的对象。他说："见以知，人之性也；可以知，物之理也。"荀子认为，认识事物首先从感觉经验开始，第一步就必须借感觉器官，即他所谓"缘天官"，通过感觉器官来反映事物，即"天官意物"。荀子特别注意反对认识的片面性，认为认识的任务就是为了"解蔽"，为了认识事物的"道"、为了"解蔽"，必须重视"天君"即心的作用。荀子还把"行"看做是学习的目的和认识的归宿，强调学以致用，反对那种"入乎手耳、出乎口"，不能身体力行的目的。

作为儒家八派之一、"孙氏之儒"的代表人，荀子的"隆礼重法""法后王"的政治思想和"性恶论"的伦理道德观及"天人之分""人定胜天"的天道观，都使他引燃了继承与背叛纷争的导火索。他甚至被认为是儒家的叛徒，因为他主张性恶，率先入秦，强调"法"，试图让儒家与专制统治结姻，而且因为他有两个"背叛"师门的弟子，其中一个还让儒家在"焚书坑儒"的暴行中几乎灰飞烟灭。似乎以上随便一个理由，都可以使人义愤填膺地对荀子指责一番。

然而，正是这些让荀子背负恶名的适应时代变化的理论，为儒家注入了新的生命力，既然孔孟的道德主张注定要在现实面前碰得头破血流，那么适时地破旧立新又有什么不好呢？在这一点上，司马迁的眼光的确让人钦佩，他在《孟子荀卿列传》中这样评价道："天下并争于战国，儒术既绌焉，然齐鲁之间，学者独不废也。于威、宣之际，孟子、荀卿之列，咸遵夫子之业而润色之，以学显于当世。"

道家的理想

先秦道家是诸子百家中很有特色的一派。老子和庄子通过各自对"道"的哲学思考把后世的目光引向了宇宙本体，从而牵出了一个崭新的智慧世界。"天之道，不争而善胜，不争而自来。反者道之动，弱者道之用。道常无为，而无不为"，正是这样的认定使老子在礼法失序的现实社会中时刻不忘对"小国寡民"的憧憬，而他的后继者——庄子，却在同样的对世俗的焦虑中走向了另一面——

对个人存在的特别关注。

老子——跨越时空的智者

几乎在所有的相关历史画像中，老子的形象都是无一例外的"鸡皮老子"，一脸慈悲，满额风霜。他那满额深深浅浅的皱纹，不仅暗示了守藏室内的书卷岁月，还埋藏着治国处世的哲学。

关于老子的生平，由于历史的无情而很难再进行确切的考证，这个困难就连司马迁也没能克服，所以他也只能说老子是姓李氏，名耳，字聃，楚国苦县人。尽管在专家眼里，老子来历不明，有关他的时代问题也一直争执不休，但在难有确论的情况下，一般认为老子生活在春秋晚期，比孔子早几十年。司马迁在《史记·老子列传》中说他是"周守藏室之史"，也就是东周王室的史官。当时的史官除了负责史书和档案以外，还负责天文历法，要求有丰富的知识，老子处在这样一个享誉众望的位置，即使没有出关时的著书立说，也一定是贵族中的满腹才学者。

老子弃官出关的故事是其流传最广的传说，似乎正是因为有了这次出关的打算，才应尹喜的请求留下了《道德经》的哲思。为了争夺王位，周王子朝与敬王展开了内战，周王室已是九州幅裂。就连这样一个小小的守藏室，也面临着失散典籍的浩劫，因为王子朝要带着周王室的典册书籍投奔楚国。那些寄予半世理想的典籍没有了，老子

老子塑像

无事可做，弃官而走也在情理之中。据司马迁的记载以及
后来方家的推演，老子是骑着青牛，悠然地向函谷关而来
的。这时早有准备的尹喜拦住了他，这位老兄看见紫气
升腾的老子，便料定他一定是自己要找的高人，"子将隐
矣，强为我著书。"于是，五千言的《道德经》问世了。
《老子》即《道德经》的成书年代也与老子其人一样，在
学术界引起了很大的争议，一般认为它大致定型于战国
中期。

在《道德经》里，老子阐述了他的政治理想和哲学思
考。《道德经》全书五千余字，八十一章，分上下两篇。
上为《道》篇，三十七章；下为《德》篇，四十四章。
《道德经》的文体，既非是《论语》那样的语录，也不是
一般意义上的"文章"，而是一些简短精赅的哲理格言，
押韵上口。全书各章节大致有一定的中心或连贯性，但结
构并不严密，前后常见重复。它的语言无所修饰，但朴素

中又有雍容，包含的哲理玄奥而深刻，全部天、地、人三灵就浓缩在这以简驭繁、至深至赅的微型篇幅中。

关于治国，老子可谓举重若轻，他宣称"治大国若烹小鲜"。那么治理一个大的国家真的就像他说的那样——如同煮熟一条小鱼那么简单吗？"不尚贤，使民不争；不贵难得之货，使民不为盗；不见可欲，使民心不乱。"这就是老子的秘诀——无为而治，也就是他在《老子》第六十五章宣称的"不以智治国，国之福"，相同的思想在书中多有流露。

"夫礼者，忠信之薄，而乱之首也"，可见他对秩序崩溃之沮丧、对世道虚礼之厌恶。正是在这种思想的指导下，老子又提出了"小国寡民"的理想社会方案，"使民复结绳而用之，甘其食，美其服，乐其俗，安其居。邻国相望，鸡犬之声相闻，民至老死不相往来"。支解文明基础上的社会制度，对现存秩序一笔抹杀。当旧贵族在为王室的衰微而痛心疾首的时候，老子却在推波助澜地鼓吹小国寡民。他被重重地扣上了"守旧"的帽子，而且再也没有摘下来，因为他的设计过于理想，而且已经远远地落后于时代了。用文明的失却换取秩序的苟安和人性的纯洁，老子的"结绳而治"的古朴理想显示了他对已逝传统的钟情。他在历史进步的过程中发现了传统美德的失落，于是希望退回到原有的秩序中去，却不肯承认文明的脚步是难以阻挡的，于是就只能慨叹"吾言甚易知，甚易行。天下莫能知，莫能行"了。

老子的哲学思想最具有创造性的就是他的"天道观"。他抛开了传统的"天命""上帝"，而提出了"道"——一个不能再精绝的形象的概括。

老子在书中第二十五章指出："有物混成，先天地生。寂兮寥兮，独立而不改，周行而不殆，可以为天地母。吾不知其名，故强字之曰道。"将东方人的感性直觉发挥到了极致，难怪他被庄子称为"古今博大真人"。老子认为"道"是"万物之宗""象帝之先""先天地生"，即"道"是万物的主宰和本原。又所谓"天下万物生于有，有生于无""道生一，一生二，二生三，三生万物。"可见"无"是"道"的同义语。这里的"道"并非物质实体，却是第一性的，可以断定老子的"道"的哲学就是客观唯心主义的。然而既然"道"是一种处于混沌状态的原始物质，"其中有象""其中有物""其中有精""其中有信"，那么老子的"道"是唯心之中又有物质性，它本身就是两元的、自相矛盾的。

尽管如此，老子的"道"还是为春秋战国之际的乱世之学开拓了新的天地，他的这一思想和政治处世哲学发展成了百家流派之一——道家，并对后世哲学产生了深远的影响。老子甚至成为了土生土长的中国道教的鼻祖，受到迷恋道教的帝王的封赐和膜拜，为无数道教信徒所尊奉和推崇，这恐怕是老子始料未及的。

老子的认识论，尽管唯心却不断地闪现出唯物主义的火花，这些丰富而又朴素的辩证法思想使他的智慧即便在高度文明的今日仍然熠熠生辉。

他在社会进步和自然变化的过程中窥破运化，捕捉到了对立的因素，认识到了阴阳、刚柔、贫富、大小、高下、强弱等现象以及它们互相依存、互相联结的关系，正是所谓"贵以贱为本，高以下为基"；"祸兮福之所倚，福兮祸之所伏"；"曲则全，枉则直，洼则盈，敝则新，少则得，多则惑"。他看到了矛盾对立面的互相转化，不过，他的无条件转化的思想为相对主义大开方便之门，庄子的相对论就是对他思想的承继和发挥。

《道德经》中有许多警言说明了万物发展变化必经的量变过程。"合抱之木，生于毫末。九层之台，起于垒土。千里之行，始于足下。"老子用朴素又唯美的语言形象地向人们展示了他的智慧，先秦语言的魅力在他的笔下开出了清新亮丽的花朵，但是老子的这种发展观却停留在了循环往复上，在他看来，线性循环的螺旋式运动才是一切运动的基本形式。尽管今天看来他的"反者道之动"的言论破绽重重，但在远古的春秋年间，在铁器还是文明的新事物的时代，这足以是骇世之言了。

不论历史怎样评价老子，他都是那个时代的一颗启明星。也许孔子的话才是最有力的，不论他是否真的曾经解惑于老子。庄子在《庄子·外篇·天运》中说孔子这样对弟子说："吾乃今于是乎见龙！龙，合而成体，散而成章，乘云气而养乎阴阳。予口张而不能嚖，予又何规老聃哉！"意思是说：我直到如今才竟然在老聃那儿见到了真正的龙！龙，合在一起便成为一个整体，分散开来又成为华美的文采，乘驾云气而养息于阴阳之间。我大张着口久久不能合拢，我又哪能对老聃做出诲劝呢！

庄子——浪漫的民间诗人

在先秦人士中，庄子是很独特的一位。

他是天空中翱翔的大鹏，已经身在九万里之高了，还嫌离人世不远，当别人在都市中热闹地沸反盈天的时候，他却向往摆脱一切羁绊，高唱着"一而不党"的调子寻求超脱。他是乡野民间的智者、诗人，当形色各异的理论鼓吹者在帝王的耳边聒噪不休，传授如何治人、治国的经验的时候，他却宁愿转过身来，告诉孤独的灵魂如何自救和解脱，如何在丑恶的现实中保持心灵的自尊与清净。

庄子（约前369～前286），姓庄名周，字子休，战国时宋国蒙人，与孟子同时代而稍后，是继老子之后，战国时期道家学派的代表人物。做过地位卑微的漆园吏。相传他自幼聪明好学，与另一位思想家惠施是同学、挚友，不过与惠施任魏相不同，他拒绝了楚威王任相的邀请。他曾经游历楚越，探访古风。庄子一生率性任情，崇尚自然，非毁礼法，傲视王侯。退隐江湖，终身不仕。他在

被神化的庄子

生活穷困的时候曾向监河侯（一个管理河道的小官）借过米，潦倒时竟以编草鞋为生，甚至见魏王的时候还穿着补了又补的衣服，但他的智慧与幽默依然焕发且锐利无比。著有《庄子》一书，现存三十三篇，确是一个令人耳目一新的新世界，一派自然的哲学天籁。这里没有刻板的礼法和讨厌的说教，却生活着令人无限景仰的自由的大鹏、怒气冲冲挡车的螳螂、在河水中喝得肚皮圆圆的鼹鼠、翩翩飞舞到庄子梦中的蝴蝶，甚至有在夜晚向庄子倾诉衷肠的骷髅。

庄子继承了老子《道德经》中"人法地，地法天，天法道，道法自然"的精髓，竭力反对"有为"。"无以人灭天，无以故灭命，无以得殉名，谨守而勿失，是谓友其真。"意思是：不要为了人工而毁灭天然，不要为了世故去毁灭性命，不要为了贪得去身殉名利，谨守天道而不离失，这就是返璞归真。

庄子对战国时期的社会现实极为不满，"喜怒相疑，愚知相欺，善否相非，诞信相讥，而天下衰矣"，这是他对那个时代的写照。庄子理想中的社会是《庄子·马蹄》中所说的："至德之世，同与禽兽居，族与万物并，恶乎知君子小人哉！同乎无知，其德不离；同乎无欲，是谓素朴；素朴而民性得矣。"自由自在地生活，没有任何人为的创造——"物顺自然"，只有这样才能达到"万物与我为一"的理想境界。因此他讲：马吃草饮水，高兴就交颈相摩，发怒就用后脚相踢，这是它的本性。而人硬要"加之以衡扼，齐之以月题"，马却学会了侧立两轭不服驾，曲着脖子摆脱轭、抵车幔、偷吐嚼子、咬缰绳，诡计多端地进行反抗，反而变得像盗贼一样，这正是教化违背本性的结果。

庄子还讲了"混沌开窍"的故事：混沌没有七窍，便给他凿上，等七窍凿完，混沌也一命呜呼了。庄子通过这个故事告诉人们应该依顺本性，反对人为。庄子还进一步否定先王、抨击礼法，吕思勉在《先秦学术概论》中评价庄子的哲学的时候说他是"专在破执"，可谓一语中的。他借盗跖之口，用仁义杀人的道理将孔子酣畅淋漓地痛斥了一番。他对世俗社会的礼、法、权、势进行了尖锐的批判，提出了"圣人不死，大盗不止""窃钩者诛，窃国者为诸侯"的精辟见解。

庄子在天道观上，继承发展了老子的思想，认为"道"是客观真实的存在，把"道"视为宇宙万物的本原。"道"是"自本自根，未有天地，自古以固存；神鬼神地，生天生地"。即"道"在天地未生之前就有了，天地是由"道"神秘产生出来的。他发展了老子的思想，认为"有先天地者，物邪？物物者非物。"即产生物质的东西不是物，而是精神，是属于人的主观认识的精神。《庄子·齐物论》说："古之人其知有圣矣！恶乎知？有以为未始有物者，至矣，尽矣，不可以加矣。"即宇宙一开始有的就是人的"知"的主观精神。这样，庄子就变老子的客观唯心主义为主观唯心主义。

在认识论上，庄子不可避免地陷入了相对主义，《庄子·齐物论》是最集中的证明。庄子认为世界上没有是非、善恶、美丑等因素的严格区分。"有儒、墨之是非，以是其所非，而非其所是。"即儒、墨双方都自以为是，非别人之是，那就是各自有理，纠缠不清，难以公断。他说"毛嫱、丽姬，人之所美也；鱼见之深入，鸟见之高飞，麋鹿见之决骤。"他用鱼儿的"深入"、鸟儿的"高飞"和麋鹿的"决骤"来反衬美女的不美，否定了事物的差别。他认为"天下莫大于秋毫之末，而太山为小；莫寿于殇子，而彭祖为夭。"在他看来。大和小、短命和长寿是没有区别的，要看相对于什么事物来比较，因而进一步看，也就没有所谓统一的标准和真理。人吃蔬菜和肉食，而麋鹿喜欢吃草，而猫头鹰就是不喜欢吃草，谁知道什么是真正的美味呢？

"昔者庄周梦为胡蝶，栩栩然胡蝶也，自喻适志与！不知周也。俄然觉，则蘧蘧然周也。不知周之梦胡蝶与，胡蝶之梦为周与？"蝴蝶本来是蝴蝶，庄周本来是庄周，蝴蝶和庄周本来是两个东西，但是到了梦中，蝴蝶却变成了庄周，庄周又变成了蝴蝶。在庄子看来，蝴蝶与庄周之间的区别不见了，它们成为了一个东西。因为他认为不管庄周梦见了蝴蝶，还是蝴蝶梦见了庄周，都是对的，也都不重要，这时蝴蝶忘了蝴蝶、庄周忘了庄周，生活是轻松自在、无忧无虑的，它们在相对的转化中找到了各自的快乐。

庄子对个人存在特别关注，他的处世哲学在先秦诸子中独树一帜，他在冷眼看世的过程中一直在寻求自救与解脱。他将人生的真谛编织在一个个灵动通俗的寓言故事里，漠视一切的勇气涌动在字里行间，于是，他的形象也就变幻莫测了。他可能是尖锐的人生剖析者、可能是充满激情的民间诗人、可能是鄙视富贵的倔强穷汉、可能是濮水边上的垂钓闲人，他以自己的方式寻求超脱，却又怀着怜悯现世的深情。他在自由的乡野中绘出了一套反对城市规则的蓝图，高举着他"一而不党"、不吝去留的旗帜。

庄子对人的思考中心就是个人生命在宇宙间的存在意义，而并不看重人在现实社会中的价值。名、利等在他看来不过是对生命存在的伤害罢了。"至人"不应当心存是非利弊和种种道德规范，而应当"用心若镜"，即像镜子那样映照万物之形而不存万物之形，达到超然的境界。

在庄周梦蝶的故事里，庄子的学生蔺且坚持说："在梦里，确实是庄周与蝴蝶为一了，但是醒来后，庄周和蝴蝶又分开了，蝴蝶是蝴蝶，庄周还是庄周。"这时庄周说道：人可能保持内心的清澈，不去想许多烦恼的事。现实中，名声和利益是最累人的，商人们总是想赚更多的钱，读书人总是想得到别人的认可，如果他们学会忘记，就可以像蝴蝶那样自由地飞翔，更好地生活。《逍遥游》中，从鲲鹏到学鸠、从"小知"到"大知"、从"小年"到"大年"，要达到超凡脱俗的境界，无一例外的要抛却现实的羁绊，包括虚名、功业和私心等等。

正是出于对自由的追求，庄子以亲身的经历告诉了人们对理想的执著。濮水边上心如澄澈秋水、身如不系之舟的庄子，坦然地告诉楚王的使者"吾将曳尾于涂中"，不经意地推掉了在别人看来是千载难逢的飞黄腾达的机会。也许正是有如许超然决然智慧的人才有如此清澈的精神，而这种精神又滋养出了拒绝诱惑的惊人定力。因为庄子坚信：只要愿意，就可以像蝴蝶那样自由地飞翔。在庄子看来，与其做宗庙里的乌龟，不如做泥水中自由的乌龟，因为自由才是他的选择。

在对待生死的问题上，正如《达生》篇所表达的那样，"达生"不是极力追求生命本身的延续，而是寻求个人对生命的完成和精神对生命的超越。庄子讲了许多奇特而有趣的故事来解释他的生死之理。《养生主》讲了秦失凭吊老子，当别人不解地问他缘何"三哭而出"时，秦失答道："始也吾以为其人也，而今非也。向吾入而吊焉，有老者哭之，如哭其子；少者哭之，如哭其母……是遁天倍情，忘其所受。"秦失认为他们这样悲痛是不对的，他们不知道老子像所有人一样是造化的儿子，应天命而生，顺天命而死。这样想，就能理解庄子面对老妻死亡的那种坦然了，尽管他击缶而歌，又有什么奇怪呢?

孔子曾说人生有三种态度，最好的就是中庸，除此之外，"必也狂狷乎! 狂者进取，狷者有所不为。"庄子正是他所说的狷者，一脸的不屑与轻蔑，满心的激情与超然。清代学者胡文英曾这样说庄子："庄子眼极冷，心肠极热。眼冷，故是非不管；心肠极热，故感慨万端。虽知无用，而未能忘情，到底是热肠挂住；虽不能忘情，而终不下手，到底是冷眼看穿。"真是知音之言。

墨子——黑暗王国的理想主义者

在先秦诸子中，墨子是一个纯粹的理想主义者。在孔子死后繁华落幕的萧条中，是面目黧黑的墨子及其追随者组成的"贱人"集团，来往穿梭在诸侯之间，以不同于孔门的学术和修行宣传着"兼爱""尚同""尚贤"的思想。从初习孔学到跳出孔门，从教授学徒到游说诸侯，墨子一直在追求自己的理想。他在粗衣淡食的苦修中、在"贱人之学"的嘲讽中、在儒家学术的压力下，一边咀嚼时代的困难，一边实践自己的平民理想。

墨子（前468？～前376？），姓墨名翟，春秋战国之际思想家、政治家，墨家的创始人。在孔子之后、孟子之前，与子思同时。墨子原为宋国人，后来长期住在鲁国。出身于小手工业者，自称是"贱人"。他早年曾"学儒者之业，受孔子之术"，后来发现儒家思想的诸多纰漏，于是另立门户，创始了与儒家对立的另一学派——墨家。并在自己著书立说、教授门徒和游说诸侯的身体力行中扩大了墨家的影响力，使其成为了与儒家学说平分天下的"显学"。现存三十五篇的《墨子》部分是墨子所作，其余则是墨子的弟子为追记墨子言行及墨家思想而作。

墨子是在儒学理论中窥破理想与主张的矛盾后，"以子之矛，攻子之盾"，向儒家发起攻击的，并由此形成了自己"兼爱""非攻""尚贤""尚同""非乐""节用""节葬""尊天""事鬼"等主张的。

"兼爱"是墨子思想的核心，他认为："天下之人皆不相爱，强必执弱，富必侮贫，贵必傲贱，凡天下祸篡怨恨之所以起者，以不相爱生也。"他的治世之方就是"兼相爱，交相利"。"兼者，相等也；交者，相互也，二者更为因果。兼而不交，则爱利之质不厚，交而不兼，则爱利之量不广。"墨子认为："夫爱人者，人必从而爱之；利人者，人必从而利之；恶人者，人必从而恶之；害人者，人必从而害之。"可见墨子的兼爱思想是由儒家的"仁"和"礼运"的"不独亲其亲，不独子其子"发展而来的"博爱"思想，它抽去了宗法等级制内容，是对儒家"仁"的思想的发展和否定。

墨子认为"兼相爱"和"交相利"是相结合的，摆脱了孔子"君子喻于义，小人喻于利"、只讲"义"不讲"利"的片面性。墨子的兼爱主张与当时宣扬利己主义哲学的杨朱之学形成了尖锐对立，正如孟子所说："杨朱取为我，拔一毛而利天下不为也；墨子兼爱，摩顶放踵利天下为之。"

"兼爱"主张天下人互爱互利，不要互相攻击，这就引出了"非攻"。它反映了墨家学派反对发动不义之战的和平愿望。墨子认为攻战之害"春则废民耕稼树艺，秋则废民获敛""百姓饥寒冻馁而死者，不可胜数"，因而认为国家之间的攻伐是非正义的。墨子主张"非攻"，但并不反对防御战，墨家的守御是有名的，被称为"墨守"。《墨子·备城门》以下的十一篇中，记载着他们制造和使用防御战具的经验，他们帮助被攻的国家防御抵抗。同时，墨子还主张弱小国家团结起来，共同抵御大国的进攻和兼并；对于"汤伐桀，武王伐纣"这样的"革命"战争，墨子也是持肯定态度的，认为"彼非所谓攻，谓诛也"。正是因为抱着这样的理想，墨子和他的追随者们才会不辞辛劳一次又一次地充当着和平的使者，在诸侯国剑拔弩张的时候，凭着一张嘴说退百万军。据记载，公输般为楚造云梯成，将攻宋国，墨子听说后，从鲁国出发，疾行十昼夜来到楚国之都郢，战胜了公输般，说服了楚王，及时地阻止了战争。后来鲁阳文君将攻郑国，墨子知道后又前去说之以理，说服鲁阳文君停止攻郑。其后，齐国将攻伐鲁国，又是墨子前去说服了齐国的将领项子牛。墨子的一生都是在为扶危济困的正义事业而奔忙，班固《答宾戏》云："孔席不暖，墨突不黔"，即墨子像孔子一样为天下事而终日奔劳，连将席子坐暖和将炉灶的烟囱染黑的功夫都没有。

墨子不同意儒家亲亲的主张，提倡"尚贤"。他理想的王国是有着"尚同"意志、"尚贤"举措的国度。尚贤，即尊尚贤人，实际上是为平民阶层上层分子要求政权的口号。天子是天下公认或公选的贤人，各级长官也是相应的贤者，主张"不别贫富、贵贱、远迩、亲疏"，"虽在农与工肆之人，有能则举之"，做到"官无常贵，而民无终贱"。这在《礼运》中就已萌芽的中国古代民主思想，儒家把它作为理想却不敢引入现实；而墨家将它作为自己的奋斗目标，辗转呼吁。

"天志""明鬼"是墨子利用宗教思想进行说教的一种手段。墨子主张天下人要以"天"为法，认为"天"是要人相爱、相利，不要人相恶、相贼的。"天"兼有、兼食天下之民，所以是兼爱、兼利的。"爱人、利人者，天必福之；恶人、贼人者，天必祸之。"墨子认为如果人们觉得没有赏贤罚暴的鬼神，就可能胡作非为了。于是利用当时流行的鬼神观念，主张"明鬼"，要使天下人都相信有鬼神，并且能赏贤罚暴，希望这样能使天下太平。

"非命"是墨子反对宗法制、天命观的产物。贵族统治者利用"天命"学说来巩固自己的地位，强调贵贱是命定的，那就必然要阻碍上层平民的"尚贤"要求和求富愿望。所以，墨子否定天命，主张事在人为、为善得赏、为恶受罚。

"非乐""节葬"也是针对儒家和当时社会的流弊提出的。墨子曾怀着虔诚的心学习了儒学的经要——礼乐，掌握了礼乐知识，并学会了吹笙，但他也很快发现了三代以来"其乐愈繁，其治愈寡"的反常现象。他在繁琐礼乐难以"兴天下之利""除天下之害"的困惑中得出了"乐非所以治天下的结论"，"并从此不再与闻音乐"。甚至如《淮南子·说山训》中所言："不入朝歌之邑"，因为在他看来，这不仅是"厚措敛乎万民"，而且"与君子听之，废君子之志；与贱人听之，废贱人之从事。"墨子对于儒家倡导的那套礼乐制度也持否定态度，对于"棺椁必重，葬埋必厚"的厚葬制度和"强不食以为饥，薄衣以为寒"的久丧陋习，墨子针锋相对地提出了"节葬"的主张。他主张在日常生活中节俭，但反对久丧礼俗的自虐倾向的形式主义的追求。

鲁迅在《流氓的变迁》一文中说："孔子之徒为儒，墨子之徒为侠。"墨子正是向时代挑战的剑侠、向儒家发难的战士，并在此过程中找到了可以和孔子向往的"郁郁乎文哉"的"周道"相抗衡的旗帜，那就是大禹精神寄托的"夏道"。"菲饮食""恶衣服""卑宫室"的大禹正是墨子一直寻求的精神领袖和实践榜样，他形劳天下的兼济精神正是墨子一直在苦苦追寻的"天下之大器"的"义"。

于是，墨子及其子弟行禹之道，他们穿着短衣粗服，吃着藜藿之羹，日夜操劳，周游列国。《鲁问》载："子墨子曰：凡入国，必择务而从事焉。国家昏乱，则语之尚贤、尚同；国家贫，则语之节用、节葬；国家熹音湛湎，则语之非乐、非命；国家淫僻无礼，则语之尊天、事鬼；国家务夺侵凌，即语之兼爱、非攻。故曰：择务而从事焉。"到处宣传自己的主张。

虽然墨子抓住了孔子去世后的短暂真空另起新论，但是他一样饱尝了理想碰壁后的心酸。他的学术被斥为"贱人之所为"，诸侯王们假惺惺地把他当做花瓶供养，"道不行不受其赏，义不听不处其朝"，于是墨子这剂出自野草之根的良药处境尴尬，但他却仍为天下之义，一腔热血沸腾依旧，孜孜不怠。一次墨子前往齐国游说，一位故人劝他说："今天下莫为义，子独自苦而为义。"墨子答道：正因为天下为义的人少了，我才要去做。儒者巫马子曾经不无讽刺地问墨子："子兼爱天下，未云利也，我不爱天下，未云贼也，功皆未至，子何以自是而非我哉？"墨子反诘道："今有燎者于此，一人奉水将灌之，一人操火将燎之，功皆未至，子何贵于二人？"难怪庄子对墨子赞不绝口："墨子真天下之好也，将求之不得也，虽枯槁不舍也，才士也夫！"

梁启超曾经这样说墨子："古今中外哲人中，同情心之厚，义务观念之强，牺牲精神之富，基督之外，墨子而已。"墨子一生都在为自己的理想奋斗，然而在那个就连孔夫子"仁"的说教都要自尊扫地的私欲膨胀的时代，墨子"兼爱""尚贤""非乐"的主张又何以能受到统治者的垂青？终究是曲高和寡。

墨家学说在经过"焚书坑儒"和"罢黜百家"的学术打击后，由墨子时代"盛誉流于北方、义声振于楚越"的"显学"走向式微，最终成为了绝学，不禁让人扼腕长叹！

也许正如庄子在《骈拇》中所说的那样："其生也勤，其死也薄……使人忧，使人悲，其行难为也。恐其不可以为圣人之道，反天下之心，天下不堪。墨子虽能独任，奈天下何！"

韩非子——帝王术的鼓吹者

　　韩非是先秦时代最后一个哲人，他的形象与其说是政治家倒不如说是思想家，而且是口吃的、下笔千言的、无比刚健的思想家。他是帝国政治的剖析师，坚信法、术、势三位一体的力量，倡导的是一种纯粹的君主独裁论，也就是古人称道的"帝王之学"。他的笔下是市井百态，捕捉了人性丑恶肮脏的瞬间。正如葛兆光在《七世纪前中国的知识、思想与信仰世界》中所述："他嘲笑守株待兔的愚蠢和刻舟求剑的呆板，同时，也把人类的天真和直率统统抛开，他只问结果而不问动机……"

　　韩非（前280？～前233？），韩国贵族，战国末期

韩非子画像

人，法家的主要代表。与李斯一起曾师从荀子，后来讲究法家之学，"为人口吃，不能道说，而善著书"。曾多次上书劝谏韩王安，提出富国强兵、修明法制的主张，不被采纳，退而著书，成十余万言。他的著作传到秦国，秦王嬴政读到他所著的《孤愤》《五蠹》等篇，极为赞赏，甚至发出"寡人得见此人与之游，死不恨矣"的慨叹。于是加紧攻韩，韩王只好派遣韩非入秦。秦始皇很推崇韩非的法家思想，想以此为统一霸业的指导思想，但是韩非本人并没有得到重用，而且不久便遭到同学李斯和奸人姚贾的谗害而入狱，次年被迫自杀于云阳狱中。著有峻刻、犀利的《韩非子》，这是先秦法家的代表作，共五十五篇。

韩非总结了前期法家商鞅、申不害和慎到三家的思想，提出了以法治为中心的法、术、势相结合的法治思想。对于商鞅只着重讲究"法"，韩非认为他"然而无术以知奸，则以其富强也资人臣而已矣"，只能是"战胜则大臣尊，益地则私封力"。因此他认为："君无术，则弊于上；臣无法，则乱于下。此不可一无，皆帝王之具也。"对于申不害，韩非认为他注重"术"，而"不擅其法，不一其宪令，则奸多故"，也就是说他不长于法，不注意统一法令，因而容易引起社会混乱。所以韩非评价商鞅和申不害说："两子之于法、术，皆未尽善也。"而对于慎到强调的"尧为匹夫，不能治三人；而舜为天子，能乱天下；吾以此知势之足恃而贤智之不足羡也。"韩非认为他过分强调了"势"，所谓"人之性情，贤者寡而不肖众，而以威势济乱世之不肖人，则以势乱天下者多矣，以势治天下者寡矣。"因而他认为"抱法处势则治，背法去势则乱"。

韩非将"法"比做"隐括"，即使弯曲木料变直的工具，也就是要求以"法令"作为统一全国思想的标准。在他看来，法应该"编著之图籍，设之于官府，而布之于百姓""法也者官之所以师也"，而民众学习法律必须又"以吏为师"。作为政权统一标准的"法"的权威性是不可侵犯的，"法者，宪令著于官府。刑罚必于民心，赏存乎慎法，而罚加乎奸令者也"。韩非主张通过强调重法来维护统治秩序的安定，"使吾法之无赦，犹入涧之必死也，则人莫敢犯也"。

韩非认为国君要靠"术"来察知臣下的作奸舞弊，"术者藏于胸中，以偶众端，而潜御诸臣者也"。即"术"是国君用来驾驭群臣的阴谋权术，它应该深藏不露，不能让任何人知道。国君所用的"术"也就是"刑名之术"，"人主将欲禁奸，则审合刑名"，就是说国君根据臣子的话让他去办事，然后再检验他的办事功效，与他的话相符就"赏"，否则就"罚"，这就是"君操其权，臣效其形"的"循名责实"。韩非煞费苦心地考察研究了奸臣的各种行径，并为君主设计了各种各样的防治手段。他认为君主要想办法做到"有功则君有其贤，有过则臣任其罪"，即君主行事要叫人捉摸不透，让群臣感到高深莫测，把一切功劳归于自己，将一切错误推给臣下。要做到这样，就必须熟悉"八经""八奸""备内""三守""用人""南面"等一系列政治权谋，而这些权谋的探视角度甚至包括了帝王后妃、夫人、嫡子，可谓犀利、露骨。

"势"就是国君的高位和"威势"，"势者，胜众之资也"，是执行"法"和用"术"的前提条件。直白地讲，"势"就是"政权"，"乘势"也就是掌握政权。所以韩非才反复申述君王的威德不能分享、权势不能外借，要时刻防止臣重擅主，处处保持人主的独尊地位。

韩非主张取长补短，把"法""术""势"三者结合使用。他把国家比做君主的车，"势"比做用来拖车的马，"术"比做驾驭的手段。认为君主如果没有"术"去驾驭臣下，"身虽劳犹不免乱"；如果有"术"来驾驭，"身处佚乐之地，又致帝王之功也"。所谓"致帝王之功"，就是指完成统一的帝王之业。可见在韩非法家那里，君主被绝对化和目的化，与之相应的臣民则被相对化和手段化。

韩非继承并发挥了老师荀子的"性恶论"来作为他政治思想的基础。他认为每个人都追求自己的利益，在他的著作中，没有人与人之间的真诚和信任，充斥的都是算计人的刻薄和怕被人算计的恐怖。《外储说右下》有这样一句话："主卖官爵，臣卖智力。"臣卖力，国君则用封爵俸禄作为交换条件，君臣之间就是一种交换关系；"君上之于民也；有难，则用其死；安平，则尽其力。"也就是说君对于民是一种使用关系。

韩非变通的历史发展观一直为人们所激赏，相对于那些守株待兔式的迂腐和无奈，人们的欣赏是有充足理由的。韩非一直主张"世异则事异""事异则备变"的进步历史观，这与他的进取主张是一致的。在《五蠹》篇中，韩非反复申述"圣人不期修古，不法常可，论世之事，因为之备"；"事因于世，而备适于事"；"世异则事异"；"古今异俗，新故异备"。正如《五蠹》所谓："上古之世，人民少而禽兽众，人民不胜禽兽虫蛇。有圣人作，构木为巢以避群害，而民悦之，使王天下，号曰有巢氏……中古之世，天下大水，而鲧、禹决渎。近古之世，桀、纣暴乱，而汤、武征伐。今有构木钻燧于夏后氏之世者，必为鲧、禹笑矣。有决渎于殷、周之世者，必为汤、武笑矣。"所以"今欲以先王之政，治当世之民"，就像"守株待兔"一样可笑。

作为法家理论的集大成者，可以说韩非是"帝王师"了，他的理论对后来的封建政治产生了重要影响，从秦始皇开始，维护和加强皇权一直是封建帝王的努力方向。

思想的交汇——稷下学宫

稷下学宫是战国时期齐国的一所著名学府，因其建于齐国都城临淄的稷门之下而得名。这座存在时间长达百余年的学宫，在中国古代学术争鸣史上具有重要地位，它甚至成了百家争鸣的代言词，自由论辩的学术风气使其渐渐成为了文化的圣地。各个流派的学术精英往来其间，许多流传后世的学术著作在这里写就。而且，这样的环境造就了一批批以议政论学为主业、以思辨玄想为风尚、个性鲜明的稷下先生，他们直接参与和促进了这一时期最热烈、最持久、最有影响的"百家争鸣"。"稷下先生"也由此成为中国古代文化史上一个特殊的名词，它预示着一个思辨的学人群体、一种特殊的文化贡献和人格风采。

稷下学宫是齐桓公田午在位时创立的，中经威王、宣王、湣王、襄王、建王五代，历经了兴盛与衰败的几次折腾，最后终止于齐国灭亡。

这样的一个学术沸腾的中心首先出现在齐国并不令人意外，据《史记·苏秦列传》，苏秦有一段很著名的对齐都临淄的盛赞："甚富而实，其民无不吹竽鼓瑟，弹琴击筑，斗鸡走狗，六博蹋鞠者。临淄之途，车毂击，人肩摩，连衽成帷，举袂成幕，挥汗成雨，家殷人足，志高气扬。"作为一个自春秋以来就已经"冠带衣履天下"、"粟如丘山"、有着渔盐蚕桑之利和便利交通的国家，齐国百尺竿头的经济条件已经为稷下学宫的建立准备了优厚的物质条件。况且齐地多有古代民主遗风，司马迁称"其俗宽缓阔达，而足智，好议论"，加上齐桓公有礼贤之度，他也需要谋臣贤士为他出谋划策以稳固刚刚夺取的政治成果，于是，学术与思想的集散地就形成了。

在规模上，"开第康庄之衢""高门大屋"相接，于是，天下贤士荟萃于此，这是稷下学宫的初盛之时。齐宣王在位期间（前320～前302），是齐国政治、经济发展的鼎盛之时，他对稷下学宫倾注了不少心血，这当然与他"欲辟土地、朝秦楚，莅中国而抚四夷"的雄心分不开。刘向《说苑·尊贤》中有一段这样的记载可以揭示稷下的兴盛背景："齐桓公设庭僚，为士之欲进见者。期年而士不至，于是东野鄙人有以九九之术见者。桓公曰：'九九（何）足以见乎？'鄙人对曰：'臣非以九九为足以见也。臣闻主君设庭僚以待士，期年而士不至。夫士之所以不至，以君天下贤君也，四方之士，皆自以不及君者，故不至也。夫九九薄能耳，而君犹礼之，况贤于九九者乎？夫太山不辞壤石，江海不遂小流，所以成大也。《诗》云：先民有言，询于刍荛。言博谋也。'桓公曰：'善！'乃因礼之。期四方之士相携而并至。"

而且稷下学宫还给学士们很高的待遇。徐干《中论·亡国篇》曰："齐桓公立稷下之宫，设大夫之礼，招致贤人而尊宠之。"他甚至曾经一次对六十七人"皆赐列第，为上大夫"，其礼敬之隆重由此可以想见。司马迁

《史记·田敬仲完世家》说："宣王喜文学游说之士，自如邹衍、淳于髡、田骈、接子、慎到、环渊之徒七十六人，皆赐列第，为上大夫，不治而议论。是以齐稷下学士复盛，且数百千人。"

齐湣王当政时期（前301～前284），齐国由盛转衰，稷下学宫的发展态势也急剧逆转。齐湣王前期是稷下学宫发展的最高峰，"稷下学士更盛，多至数万人"，但好景不长，齐湣王的刚愎自用、一意孤行终于自食其果，许多稷下先生纷纷离开了稷下学宫，另谋他就，稷下学宫出现了严重的人才外流现象。《盐铁论·论儒》曰："诸儒谏不从，各分散，慎到、捷（接）予亡去，田骈如薛，而孙（荀）卿适楚。"稷下学宫由盛转衰也预示着齐国的衰落和败亡。

后来的齐襄王重建了稷下学宫，"尚修列大夫之缺"，荀子等著名学者又携其弟子来到稷下，使稷下学宫成为当时学术竞相争鸣的场所。齐襄王虽广揽贤才，但却叶公好龙，稷下先生仍处于"智者不得虑，能者不得治，贤者不得使"的境地，许多人不得不又满怀失意地离开这块不知而议的思想阵地。齐王建当政时期（前226～前221），庸碌无能、不修耕战，秦国一个一个地灭掉其他五国后，齐国只能坐以待毙。此时的稷下学宫虽然能勉强支撑，但却大势已去，就连"好奇伟之画策"的鲁仲连也不得不"逃隐于海上"。公元前221年，随着齐国的灭亡，稷下学宫亦惨遭战火，走完了自己一百四五十年的历史征程。

正是稷下学宫这样民主气息较浓的社会环境，才造就了学术和个性鲜明的稷下先生，他们有时也被当做一个特殊的学派称为稷下学派。可以说，战国时期的思想界，基本上是被控制在稷下学宫中的。正如侯外庐在《中国思想通史》中所说："所谓稷下先生几乎包罗尽当时所有的学派"。在来自各诸侯国、活跃了一百余年的"稷下先生"群体中，有儒家的王者师、道家的传人、法家的骨干、阴阳家的领袖，他们在稷下学宫这个特殊的文化环境里互相对立、互相争鸣、互相吸收、互相促进，共同培养了特殊的理想人格风采、留下了示范后世的良言淑行，并以他们特殊的方式影响着当时的论坛、政坛和学术界。

钱穆在《先秦诸子系年·稷下通考》云："扶持战国学术，使臻昌隆重盛遂之境者，初推魏文，继则齐之稷下。"稷下学宫人才济济，仅史书上明确点明出入过稷下的先生就有淳于髡、尹文、彭蒙、田骈、慎到、接子、环渊、邹衍、孟子、荀子、儿说、田巴、季真、王斗、鲁仲连等人。他们大多是各具特色的游学之士，本着"从道不从王"的原则，他们游走各国，暂栖稷下。他们的游学形式多种多样，有荀子这样个人游学的；有如孟子带着弟子集体游学的；有如邹衍希求政治作为的仕宦与游学相结合的；也有为博取千盅之粟而来的。正如《尹文子·大道》

曰："天下之士，莫肯处其门庭，臣其妻子。必游宦诸侯朝者，利引之也。游于诸侯之朝，皆志为卿大夫，而不拟于诸侯者，名限之也。"

无论哪一种游学之士，在稷下都能受到礼待和尊重。淳于髡原为"赘婿"，地位低下，后来以杰出的才学而成为稷下先生。孟子曾两次进出学宫，都受到应有的礼遇。荀子尽管三进两出，也能在稷下久居祭酒的显位。在齐国统治者礼待和重用之下，这些本来就满怀社会关怀的学士们更是对政治充满了期待和热情，他们或者"各著书言治乱之事，以干世主"；或者直接参与政治，在重大问题上出谋献策；或者亲自担当外交重任，出使别国以解危救难。淳于髡就是一个典型的人物，是他在齐欲伐魏的关键时刻向齐王剖析形势，及时阻止了齐王的错误行动，是他在"楚大发兵加齐"的危急时刻主动求赴赵国，解除了齐国的政治危难。

争鸣与交流无疑促进了更深层次的思考，在稷下先生间先后兴起了"天人之辩""世界本原之辩""名实之辩""王霸之辩""性善性恶之辩""本业末业之辩""用兵寝兵之辩""白马非马之辩""坚白之说"和"同异之辩"等。孟子就是在这里提出了震撼人心的"民贵君轻"的论断，荀子也是在这里逐步建构了他的学术体系，邹衍大力发展了他的"五行"理论，而更多的齐国学人则开始了"大九洲"学说的探讨……

正是在稷下，春秋战国时代的"百家争鸣"走向高潮，甚至在今天，时间的流转和历史的尘埃依然遮掩不住它的包容、宽松和思辨，尽管稷下先生的良行淑言已经浓缩成了历史的只言片语。

二、现实与浪漫——中国文学的两大传统

现实与浪漫可以说是中国文学的两大源头，而《诗经》和《楚辞》无疑是这两大源头的开启和实践者。《诗经》表现出的关注现实的热情、强烈的政治和道德意识以及真诚积极的人生态度——"风雅"精神，是盛开在中国现实主义文学源头的花朵。而文辞绮丽、激情四射的《楚辞》也以其动人的想像和诸如"香草美人"的意象开创了浪漫主义文学的天地。

《诗经》——朴素的歌声

《诗经》是我国第一部诗歌总集，原称"诗"或"诗三百"，汉代时开始称经。现存的《诗经》是汉朝毛亨所传下来的，所以又叫"毛诗"。《诗经》共收入自西周初期（前11世纪）至春秋中叶（前6世纪）约五百余年间的诗歌三百零五篇。几千年来，《诗经》以它朴素自然、现实生动的风格一直受到格外的关注和礼赞。

根据歌词及所配乐曲的性质，《诗经》分为《风》

《雅》《颂》三部分。《风》就是指音乐曲调。共有十五国风，包括《周南》《召南》《邶风》《鄘风》《卫风》《王风》《郑风》《齐风》《魏风》《唐风》《秦风》《陈风》《桧风》《曹风》《豳风》，是相对于"王畿"——周王朝直接统治地区的、地方色彩浓厚的音乐，共一百六十篇诗歌。其中《豳风》全部是西周时代的作品，其他除少数产生于西周外，大部分是东周作品。《雅》则根据特点和演唱场合分为《大雅》和《小雅》，《大雅》三十一篇，均是西周作品；《小雅》七十四篇，也大多是西周晚期的作品。《颂》是专门用于宗庙祭祀的音乐。正如汉代卫宏《毛诗序》所说："《颂》者美盛德之形容，以其成功告于神明者也。"包括《周颂》三十一篇、《商颂》五篇、《鲁颂》四篇。

　　《诗经》的编辑情况在史书中没有明确的记载，但是从影响广泛的"献诗""采诗""删诗"之说中，还是可以追述一二。《国语·周语上》："故天子听政，使公卿至于列士献诗。"《礼记·王制》也云："天子命大师陈诗，以观民风。"由此看来，周代公卿和列士的献诗、采诗似是诗经作品来源的一部分，尽管关于这种采诗制度是否真正实行过的争论一直没有停息。各国乐师的搜集整理也是作品的来源之一，作为音乐的爱好者和掌管音乐的官员，他们显然有可能对那些从各地搜集来的面貌各异的作品进行过加工整理、修改、淘汰。《诗经》几乎千篇一律的四言形式除了体现了早期抒情形式的简单外，还隐含了乐师编辑的影子。而司马迁关于孔子删诗十去其九的说法，在唐代就受到了质疑。《史记·孔子世家》云："古者诗三千余篇，及至孔子，去其重，取其可施于礼仪，上采契、后稷，中述殷周之盛，至幽厉之缺，始于衽席……"然而唐代经学大师孔颖达在《毛诗正义》中疑惑道："书传所引之书，见在者多，亡逸者少，则孔子所录不容十分去九。司马迁言古诗三千余篇，未可信也。"

作品来源的复杂使得《诗经》作者群也十分复杂。《大雅》的作者基本都是上层贵族，《小雅》则还包括了一部分地位稍低的贵族抨击时政的作品，而《国风》中大部分作品都是无名作者创作的流传于民间的歌谣。

《诗经》的作品内容十分广泛，可以说是西周初年至春秋中叶社会生活的万花筒。人们将他们在生活中的喜怒哀乐娓娓道来：蓝天绿水之间的劳作、对美好爱情的歌颂、失恋和遭弃的痛苦、军旅生活的难捱……质朴的声音吟唱出一首首优美动听的歌曲，而抒情性和现实性则是它的主旋律。

《大雅》和"三颂"中的作品多是赞颂神灵、祖先以及祈福攘灾的祭祀歌，反映了当时"国家大事，在祀与戎"的特点。其中《生民》《公刘》《绵》《皇矣》《大明》五篇作品是一组有关周民族的史诗，记述了从周民族的始祖后稷到周王朝的创立者武王灭商的历史，赞颂了周朝五位先王的业绩。如《生民》记叙后稷出生的神奇经历，传说后稷之母姜嫄履帝迹生子，又多次弃子不成，"诞置之隘巷，牛羊腓字之。诞置之平林，会伐平林。诞置之寒冰，鸟覆翼之。鸟乃去矣，后稷呱矣。实覃实诉，厥声载路。"因而后稷从一出生就受到了多种磨炼，长大后克服多种困难，辛苦劳作终于在农业上取得了巨大成就，成为了周民族的始祖和农业之神，并创立了祀典。全诗不仅生动地描写了后稷成长的故事，而且反映了由母系社会过渡到父系社会的历史背景。

周代的统治者十分重视农业生产，一年农事活动开始和结束的时候都要举行隆重的祈谷、祭田典礼，以祈求上帝赐丰收和答谢神灵对丰收的恩赐。《诗经》中有很多这样的作品，如《臣工》《丰年》《良耜》等，而《国风》中的《豳风·七月》则是其中最优秀的农事诗，也是风诗中最长的一篇，共八章一百八十字，按照时间的顺序，叙述了农夫一年间的艰苦劳动过程和生活状况。风俗景物和农夫生活的结合，真实形象地再现了农夫们种田、养蚕、纺织、染缯、酿酒、打猎、凿冰、修筑宫室等看不到边际的生活。尽管他们辛苦劳作，可是只能获得很少的一部分，依然苦衣恶食，难逃每年"熏鼠"苦寒的厄运，平铺直叙的字句间流淌着无尽的辛劳和哀怨。

情诗在《诗经》中占有很大比重，尤其集中在《国风》中。它们不仅数量多，而且内容丰富，既有男女相亲相爱的情歌，也有反映婚姻生活的作品，是《诗经》中最动人的篇章。其中《周南·关雎》是一篇贵族男子追求淑女的情诗："关关雎鸠，在河之洲。窈窕淑女，君子好逑。参差荇菜，左右流之。窈窕淑女，寤寐求之。求之不得，寤寐思服。悠哉悠哉，辗转反侧。"生动描述了男子对淑女的爱恋和求之不得的痛苦心情，成为后世一直赞不绝口的佳作。又如《邶风·静女》："静女其姝，俟我于城隅。爱而不见，搔首踟蹰。静女其娈，贻我彤管。彤管有炜，说怿女美。"描写了相爱男女约会的情景：一对情人在城隅相约，当男子兴冲冲赶到时，女子却调皮地躲了起来，急得男子只好搔首徘徊，女子这才盈盈而出，并送给心上人一根"彤管"作为爱情的信物，男子兴奋地拿着礼物，爱不释手。寥寥数语就将相约男女之间激动、缠绵的感情表现得有声有色。《国风》中还有许多描写婚姻和夫妻间感情生活的诗。如《郑风·女曰鸡鸣》描写了一对夫妻互相尊重、体贴，相约偕老的美好感情："弋言加之，与子宜之，宜言饮酒，与之偕老。琴瑟在御，莫不静好。"相比之下，《卫风》中的《氓》则是一首著名的弃妇诗，诗歌以一个普通妇女的口吻叙述了自己从恋爱、结婚到被弃的过程，控诉了男子"士贰其行""士也罔极，二三其德"的恶行，表现出刚强自爱、果断坚决的性格。

《诗经》中还有很多关于战争和劳役等反映现实社会生活的作品。《小雅·采薇》《小雅·杕杜》《小雅·何

草不黄》《豳风·破斧》《豳风·东山》《邶风·击鼓》
《卫风·伯兮》等，都是这方面的名作。其中《东山》描
写了一位出征多年的士兵在归家途中的复杂感情："我徂
东山，慆慆不归。我来自东，零雨其濛。""鹳鸣于垤，
妇叹于室……自我不见，于今三年。""其新孔嘉，其旧
如之何？"士兵的心情就像天上飘洒的细雨，哀伤又飘忽
不定，老家破败衰毁的情景和对妻子思恋欷歔的感情反复
纠缠着他。全诗通篇都是对士兵归家途中的心理描写，哀
伤而感人。

　　反映丧乱、针砭时弊的怨刺诗也是《诗经》的一个重
要内容。《大雅》中的《民劳》《板》《荡》《桑柔》；
《小雅》中的《正月》《节南山》《巧言》等，都反映
了政治黑暗和民不聊生的社会现实。《国风》中的《魏
风·硕鼠》是讽刺统治者贪得无厌、不劳而获，表达民众
怨恨和不满情绪的代表作。"硕鼠硕鼠，无食我黍。三岁
贯女，莫我肯顾。逝将去女，适彼乐土。乐土乐土，爰得
我所……"诗中把统治者比做贪得无厌的大老鼠，因为无
法再忍耐它的贪婪而迫切地向往没有压迫的"乐土"。

　　从表现形式上看，《诗经》虽然基本上是节奏感强
的简单四言，但叠章形式及大量双声、叠韵、叠字语汇
的运用，又使诗歌悠然婉转、循环往复、清新自然。《周
南·芣苢》就是典型的叠章诗歌。"采采芣苢，薄言采
之。采采芣苢，薄言有之。采采芣苢，薄言掇之。采采芣

苢，薄言捋之。采采芣苢，薄言袺之。采采芣苢，薄言襭之。"全篇十二句却只改变了六个动词，不但写出了采摘的过程，而且通过不断重复的韵律，表现了生动活泼的气氛。难怪清人方玉润在《〈诗经〉原始》中云："读者试平心静气，涵咏此诗，恍听田家妇女，三三五五，于平原旷野、风和日丽中群歌互答，余音袅袅，若远若近，若断若续，不知其情之何以怡而神之何以旷。则此诗可不必细绎而自得其妙焉。"《诗经》中的叠字，又称"重言"，如《小雅·伐木》中的"伐木丁丁，鸟鸣嘤嘤"；《关雎》中"关关雎鸠，在河之洲"，用"关关"来形容水鸟叫声；《秦风·蒹葭》中的"蒹葭苍苍，白露为霜"，"蒹葭采采，白露未已"；《采薇》中"杨柳依依"，"雨雪霏霏"，"行道迟迟"等，使得诗歌舒缓悠扬，缠绵悱恻。

赋、比、兴表现手法的大量运用是《诗经》的主要艺术特色，不仅取得了良好的艺术效果，也开启了我国诗歌创作的基本手法。

所谓"赋"，用朱熹《诗集传》的话来说就是"敷陈其事而直言之"；"比"，用朱熹的解释，是"以彼物比此物"，也就是比喻之意；"兴"是"先言他物以引起所咏之辞"，也就是借助其他事物作为所咏内容的铺垫，触发诗人的情感，往往用于一首诗或一章诗的开头。《豳风·七月》叙述农夫在一年十二个月中的农业生活，就是赋法。作为基本的表现手法，赋的运用中常常又作比、兴。《诗经》中用比喻的地方很多，手法也富于变化。如《鹤鸣》用"他山之石，可以攻玉"来比喻治国要用贤人；《卫风·硕人》描绘庄姜之美，连续用了一连串的"手如柔荑，肤如凝脂，领如蝤蛴……螓首蛾眉。"其他如"有女如玉""巧舌如簧""中心如醉""其甘如荠"等都是经典的比喻。"兴"的运用情况比较复杂，有的只是在开头调节韵律或唤起情绪，与诗歌下文要表达的内容没有多少联系。如《小雅·鸳鸯》以"鸳鸯在梁，戢其左翼"作为兴句，引起后面的"君子万年，宜其遐福。"《小雅·白华》则是用相同的这句"鸳鸯在梁，戢其左翼"引出相反的"之子无良，二三其德"。《诗经》中更多的兴句与下文有着隐约委婉的联系，如《周南·桃夭》一诗，以"桃之夭夭，灼灼其华"起句，春天茂盛鲜艳的桃花、桃花的竞相开放、新娘的美貌、婚礼的热闹气氛以及婚后多子的暗示，这些情景交相映衬，烘托出了热烈喜庆的氛围，含有喻意的比兴合用，取得了更加生动婉转的效果。这种创作形式对后世的诗歌创作产生了深远的影响。

《诗经》是中国文学现实主义的源头，它的基于现实的感情抒发、关注现实和政治的热情以及积极追求美好生活的态度，也即"风雅"精神成为了后世诗歌创作力求的思想精髓；它的赋、比、兴艺术手法的灵活运用也丰富了后世文学家的形象思维和艺术视角。《诗经》是中国诗歌，乃至整个中国文学一个丰富的泉源！

屈原与他绮丽张扬的楚辞艺术

屈原的名字是与爱国和忠君的美誉联系在一起的，也是与激情勃发、浪漫绮丽的楚辞联系在一起的。他在理想与现实的折磨中，用自身奉献的方式赢得了千年的关注。人们关注他，是关注他的失败、关注他的痛苦，因为他在他的楚辞世界里淋漓尽致地展现了这一切，用楚人特有的方式——强烈而自觉的个体意识、激烈而动荡的情感、奇幻而华丽的表现形式。

有关屈原生平记载的文献并不多，只有司马迁的《史记·屈原贾生列传》和屈原自述性的《九章》。如果没有

屈原画像

绮丽绝艳的楚辞，他极有可能成为淹没在历史沧海中的微不足道的一粟，连同他的理想、抗争、痛苦与献身。而且即便是通过《史记》，他留给后世的盲点实在还很多，这是除《刺客列传》和《游侠列传》之外的第三篇不同时代、没有师承关系的合传，两个同病相怜的人——屈原和贾生被放在了一起，而且作者心潮起伏时的抒情议论还占据了本来就不长的篇幅。可是这并不影响什么，因为现实和理想、个人和社会这些主要的线条都清晰地显现在字里行间。

屈原（前340？~前278？），名平，字原，生活在战国时期，楚国的同姓贵族。年轻时意气风发、才学满腹。《史记》本传说他"博闻强志，明于治乱，娴于辞令"。担任左徒，受到楚怀王的信用。"入则与王图议国事，以出号令；出则接遇宾客，应对诸侯。"后来因为起草宪令遭到一直妒忌他的上官大夫"每一令出，平伐其功"的谗诬，受到了怀王的疏远和怀疑，被免去左徒之职，转任三闾大夫，掌管王族昭、屈、景三姓事务，负责宗庙祭祀和贵族子弟的教育。

这以后，楚国的内政外交一塌糊涂。由于楚怀王听信谗言，遭到了张仪的以六里易六百里的欺骗，背齐助秦而一无所获，不仅没有获得许诺好的六百里美地，反而丢失了大国的信誉。怀王恼羞成怒，发兵攻秦又屡遭失败，只好求和。之后又听信近臣和宠妾郑袖的谗言，错失斩杀张仪的机会，追悔不及。这时楚国为先前的背信弃义付出了巨大的代价，接连遭到秦、齐、韩、魏的围攻，陷入困境。大约在怀王二十五年左右，屈原遭到了第一次放逐，一度被流放到汉北一带。怀王三十年，秦人以相会为饵诱骗怀王入秦，屈原曾极力劝阻，无奈怀王的小儿子子兰等力主怀王入秦，结果怀王被扣，并于三年后死于秦。

在楚怀王被扣押的消息传来后，顷襄王慌慌张张地接位了，由子兰担任令尹，也就是宰相，楚秦邦交势同水火。但在顷襄王继位的第七年，竟然为了暂时苟安而认敌为亲，与秦结为婚姻。屈原的坚定的反对立场和对子兰不负责任的指责使他树敌太多而身陷重围。上官大夫又一次在顷襄王面前故技重施，于是悲剧再次上演，大约在顷襄王十三年前后屈原被流放到沅、湘一带。与此同时，楚国的形势更是江河日下，秦将白起率领的虎狼之师已经攻破

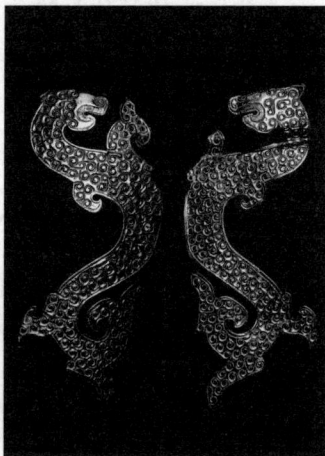

楚国双龙玉佩

楚国浪漫主义绘画

了都城郢。屈原"被发行吟泽畔",在悲愤交加中投湖自沉而死。

纵观屈原的一生,他没有骄人的事功,左徒的起点只是让他的事业多了昙花一现的惊叹,也让小人在心里埋下了嫉妒和报复的种子;他也没有深邃的思想,即便是美政的理想,也不过是"举贤而授能""循绳墨而不顾"等光鲜的政治图景。高傲的贵族气息,苦痛却不肯妥协的忠心,年轻又奋不顾身追求理想的勇气,一腔热血、两袖才华和多次漂泊的经历,这些才是屈原的资本。他的高傲和对理想绝对的追求使他不肯向邪恶做出半点让步,他的洁身自好、倔强和抗争又使他身陷更彻底的打击,他只能用激越的文辞来表达心绪,甚至以死抗争。《离骚》《九歌》《天问》《九章》等都印记着他苦痛的心路之旅。这样屈原由失意的政治家变成了卓绝千古的诗人,成为中国古代文学浪漫主义风格的化身。

"楚辞"指以屈原为代表的诗歌创作体裁。"楚辞"

这一名称在汉代时就出现了，《汉书·朱买臣传》云其"说《春秋》，言'楚辞'，帝甚悦之"。可见这时楚辞已经成为了一门专门的学问。后来刘向辑录屈原、宋玉等人的作品成书，就命名为《楚辞》。鲁迅在《汉文学史》上称其"较之于《诗》，则其言甚长，其思甚幻，其文甚丽，其旨甚明，凭心而言，不遵矩度。故后儒之服膺诗教者，或訾而绌之，然其影响于后来之文章，乃甚或在三百篇以上"。由于屈原的《离骚》是楚辞的代表作，所以楚辞又被称为"骚"或"骚体"。

楚辞的形成离不开屈原，也离不开楚地特有的文化和地域气息。宋代黄伯思在《东观余论·翼骚序》中说："屈宋诸骚，皆书楚语，作楚声，纪楚地，名楚物，故可谓之楚辞。"鲁迅在《汉文学史》中也称其"逸响伟辞，卓绝一世。后人惊其文采，相率仿效，以原楚产，故称'楚辞'"。

楚辞的楚文化色彩浓厚。春秋战国以来，中原经济文化的发达虽然影响着包括楚国在内的周边地区的发展，但楚文化始终保持着自身强烈的特征。楚地载歌载舞的歌谣为楚辞提供了最抒情的艺术形式；楚地盛行的巫教又使楚辞浸染了浓厚的神话色彩，《汉书·地理志》称"其祠必作歌乐，鼓舞以乐诸神"，正是在这样一个充满奇异想像和炽热情感的神话世界中，屈原才有了舒放自如的依托。另外，《诗经》以及"繁辞华句"的游说言辞和诸子散文都对楚辞的形成产生了影响，屈原年轻时的作品《橘颂》全部是四言，而且隔句的句尾均为"兮"字，如："后皇嘉树，橘徕服兮。受命不迁，生南国兮。深固难徙，更壹志兮。绿叶素荣，纷其可喜兮。"可以看出《诗经》体式对《楚辞》体式的渗透。

《离骚》是屈原最重要的代表作，也是屈原政治失意时的作品。司马迁在《史记》中写道："屈平疾王听之不聪也，谗谄之蔽明也，邪曲之害公也，方正之不容也，故忧愁幽思而作《离骚》。"全诗共三百七十二句，二千五百余字，是中国古代诗歌史上最长的浪漫主义政治抒情诗。对"离骚"的解释一直难以同一，司马迁在《史记》中说："离骚者，犹离忧也。"《汉书》的作者班固在《离骚赞序》中则认为"离，犹遭也；骚，忧也。明己遭忧作辞也。"而在汉代的扬雄看来，"离骚"就是"牢骚"，他甚至模仿《离骚》作《反离骚》；又模仿《九章》作《畔牢愁》，"牢愁"也就是"牢骚"的意思。

《离骚》表达了屈原对自己忠心爱国而不能实际为国效力的悲痛心情，以及对楚国祸国殃民的邪恶势力的无比愤慨。全诗感情热烈、回旋复沓的形式正体现了屈原内心的缠绵与痛苦波折，苦闷、哀伤、痛恨与不舍的交织让他愁肠百结，郁郁难以化解，只好上天入地、问神求女。自始至终可以感受到一个崇高而执著的灵魂所历经的煎熬与厄运。

《离骚》在内容上可分成前后两大部分。从开头到"岂余心之可惩"的前半部分，主要是自传性质的经历回顾；后半篇则主要通过幻想方式展现对未来道路的探索历程。

在前半部分里，屈原先阐述了自己的身世、品德和理想，抒发了自己对"信而被疑，忠而被谤"的苦闷与矛盾，斥责了楚王昏庸、群小猖獗与朝政日非。从第一句"帝高阳之苗裔兮"开始，诗人使用大量笔墨，从多方面描述自我的美好和崇高的人格。"帝高阳之苗裔兮，朕皇考曰伯庸。摄提贞于孟陬兮，惟庚寅吾以降。皇览揆余初度兮，肇锡余以嘉名。"指出了自己高贵的王族身份和对国家兴亡担有义不容辞的责任。"纷吾既有此内美兮，又重之以修能；扈江离与辟芷兮，纫秋兰以为佩。"叙述了自己及时修身，拥有了高尚的品德和出众的才干，随时准备为国家贡献自己的才智和激情，相信自己的理想和主张能把国家引向康庄大道。

然而"党人""众皆竞进以贪婪兮，冯不厌乎求索。羌内恕己以量人兮，各兴心而嫉妒"。对自己一度信任的楚王也"荃不察余之中情兮，反信谗而齌怒"。"初既与余成言兮，后悔遁而有他。"面对"民生之多艰"时，诗人又只能"长太息以掩涕兮"。面对"群芳芜秽"，诗人的高傲和自信使他鄙视这肮脏的一切而时刻不忘保持洁身自好。强烈的自我意识在这里凸显了，诗人用一系列美好的形象和事物表达了自己的愿望，"朝饮木兰之坠露兮，夕餐秋菊之落英"；"謇吾法夫前修兮，非世俗之所服"；"鸷鸟之不群兮，自前世而固然"。

诗人在孤立中看到自己的高大，又把自己放在了孤立他的社会的对立面上，藐视一切，并且坚定地表示了自己决不放弃理想而妥协从俗的执著："亦余心之所善兮，虽九死其犹未悔！""伏清白以死直兮，固前圣之所厚！""虽体解吾犹未变兮，岂余心之可惩？"

然而诗人的内心是迷惘和痛苦的，《离骚》后半篇正是借助神话材料，以幻想形式展示了他内心深处的痛苦和对未来的探索。

诗人一共经历了三次感情波折，先是一位"女媭"劝诚他："世并举而好朋兮，夫何茕独而不余听？"认为他的"婞直"不合时宜。但紧接着，诗人自己又通过向传说中的古帝重华（舜）陈辞治国之道的情节，否定了女媭的批评。

之后诗人在想像中通过众神上下求索。他在天界遭到了天帝守门人的拒绝，这暗示着诗人重获楚王信任的道路已经被彻底阻塞，他又降临地上"求女"，然而或"无礼"而"骄傲"，或无媒以相通，这又暗示着诗人无法找到自己的知音。

那么出路到底在哪里呢？诗人转而请巫者灵氛占卜、降神，给予指点。灵氛认为："两美其必合兮，孰信修而

慕之？思九州之博大兮，岂惟是其有女？""何所独无芳
草兮，尔何怀乎故宇？""欲从灵氛之吉占兮，心犹豫
而狐疑。"内心之煎熬可想而知。楚国已毫无希望，劝
他离国出走；巫咸则说："及年岁之未晏兮，时亦犹其
未央。"劝他留下，等待君臣遇合的机会。然而事实已经
是："惟此党人之不谅兮，恐嫉妒而折之。时缤纷其变易
兮，又何可以淹留？"于是，诗人"折琼枝以为羞兮，精
琼靡以为粻。为余驾飞龙兮，杂瑶象以为车""朝发轫于
天津兮，夕余至乎西极"。这时诗中是一片神志飞扬、欢
愉无比的气氛。这暗示着诗人认识到离开楚国确实是一条
摆脱困境和苦闷的道路。

然而，这对现实中的屈原来说，最终仍无法接受。
"忽临睨夫旧乡。仆夫悲余马怀兮，蜷局顾而不行。"因
为他根本无法离开自己的故土，在这里发生了第三层感情
波折——"已矣哉！国无人莫我知兮，又何怀乎故都！既
莫足与为美政兮，吾将从彭咸之所居！"

《离骚》不仅在内容和思想上具有极高的艺术价值
和审美情愫，而且在语言上文辞富丽，形式上灵活多变。
在激烈的情感迸发中，诗人列举并运用了一系列对比性、
富有神秘气息的文辞，在描述太空翱翔的自由时，诗人
描述道："屯余车其千乘兮，齐玉轪而并驰。驾八龙之
婉婉兮，载云旗之委蛇。抑志而弭节兮，神高驰之邈邈。
奏九歌而舞韶兮，聊假日以媮乐。"神游八极，语言绮

丽。"兮"字的运用使得句式和句情新鲜、生动、自由、活泼。再有委婉轻灵的楚声相和，使情感抒发得更加酣畅淋漓。

正如鲁迅在《汉文学史》中所评价的："若离骚者，可谓兼之矣。上称帝喾，下道齐桓，中述汤武，以刺世事。明道德之广崇，治乱之条贯，靡不毕见。其文约，其辞微，其志絜，其行廉，其称文小而其旨极大，举类迩而见义远。"

屈原的其他作品如《九歌》《天问》《招魂》《九章》等也各有特色。《九歌》《招魂》《天问》都渗透着浓厚的巫祭文化，前两种与楚地的神话传说、民间习俗密切相关；《天问》则是对神话传说和社会历史的质疑；而《九章》的内容都与屈原的身世有关，由九篇作品《惜诵》《涉江》《哀郢》《抽思》《怀沙》《思美人》《惜往日》《橘颂》《悲回风》组成。与《离骚》相比，《九章》篇幅短小，以纪实手法为主，写景与抒情相得益彰，以华美而富于表现力的语言充分描绘了内心的复杂、激烈和冲突。其中《怀沙》一般认为是屈原临死前的绝笔，"邑犬之群吠兮，吠所怪也；非俊疑杰兮，固庸态也"。从中可以看出屈原对楚国政治昏乱的痛心疾首和对俗世庸众的极度蔑视。诗的最后说道："知死不可让，愿勿爱兮。明告君子，吾将以为类兮。"希望世人能够从自己的自杀中，看到为人的准则，而事实证明，屈原的知音正在后代而不在当代。

"九歌"的名称，均见于《左传》、《离骚》、《天问》和《山海经》，这是一种古老而著名的乐曲。"九"表示由多篇歌词组成，不代表实际篇数。屈原的《九歌》共十一篇，是一组祭神所用的乐歌。王逸《楚辞章句·九歌》曰："《九歌》者，屈原之所作也。昔楚国南郡之邑，沅、湘之间，其俗信鬼而好祠。其祠，必作歌乐鼓舞以乐诸神。屈原放逐，窜伏其域，怀忧苦毒，愁思沸郁。出见俗人祭祀之礼，歌舞之乐，其词鄙陋。因而作《九歌》之曲，上陈事神之敬，下见己之冤结，托之以风谏。"

从内容上看，《九歌》以描写爱情为主，大多数诗篇都包含有神与神或人与神相恋的情节。其中流露的是对爱情和生命的执著追求以及求之不得的哀伤、彷徨，而这正暗含了诗人自己人生失落、孤独凄凉的心情。

《山鬼》是其中很有特色的失恋歌曲，诗中主人公在神的外表下却有着邻家少女的情感，情人的失约使她陷入了痛苦的沼泽。全诗将方位、气候、情节的变化与心灵的波动结合起来，展现了主人公对美好事物的执著追求，"雷填填兮雨冥冥，猿啾啾兮狖夜鸣。风飒飒兮木萧萧，思公子兮徒离忧！"情景交融，和谐动人。

《国殇》是其中颇为特殊的一篇悼念阵亡将士的祭歌，诗中描绘了一场敌众我寡、以失败告终的战争，烘托出了楚国将士们视死如归、不可凌辱的崇高品格，而这正是屈原一直向往和希望的。"诚既勇兮又以武，终刚强兮不可凌。身既死兮神以灵，子魂魄兮为鬼雄。"短短的篇幅却堪称中国早期文学作品中悲壮、美感的杰作。

三、叙事与说理——先秦散文的主旋律

　　社会文化呈现的百家争鸣的局面，使诸子为贯彻自己学说，"以其道易天下"而四处游说，著书立说。有争鸣之势，必有论辩之文，《孟子》《韩非子》《庄子》《战国策》等著作应运而生。叙事与说理成为了先秦散文的主旋律，而论辩说理更成为了其中的亮点。这种精绝的论辩，甚至达到了"一人之辩，重于九鼎之宝；三寸之舌，强于百万之师"的地步。正如《文心雕龙·论说》曰："暨战国争雄，辩士云涌。纵横参谋，长短角势。《转丸》骋其巧辞，《飞钳》伏其精术。"

《孟子》——气势浩然的辩言

　　《孟子》是春秋战国时期论辩说理散文的代表作，纯熟的论辩技巧、浩然的正气使它在同类作品中更具有争鸣的战国气息。郑振铎在他的《中国文学史》中就认为孟文"沾了战国辩士之风"，因而"辞意骏利而深切，比喻赡美而有趣"。

《孟子》七篇主要记录了孟子的谈话，是孟子在理想碰壁之后的劳顿暮年和弟子们共同写成的，文章依然保持了著者的政治热情和论辩激情。在先秦儒家之文中，《孟子》素以富于"文学"性而著称，尽管它的内七篇没有完全摆脱语录的窠臼，但往复辩论的言辞恰巧弥补了这一点。

明白晓畅、自然平实是《孟子》的主要语言特色，正如孟子在《万章》中说"不以文害辞，不以辞害志"。所以和纵驰想像力的《庄子》比起来，可谓各持两端，一个是朴素而深刻，一个是脱逸而明快。尽管没有华丽的藻饰，但平实浅近的句法、干净利落的词锋，加上爽朗明快的节奏都给人以朴素自然的美感。"老吾老以及人之老"，"幼吾幼以及人之幼"这样精妙的词句早已经成为了文学板块里的经典。比喻、成语和警句等恰到好处的运用又使文章生动流畅，众所周知的"五十步笑百步""挟泰山以超北海"等都是典型的例子。

《孟子》总结的格言警句也常有相当丰富的辩证法意义，如"一日曝之，十日寒之，未有能生者也"。其余像"出尔反尔""以邻为壑""引而不发"等，都充满了逻辑力量，这使他在论辩的时候既能保持语锋犀利，又能兼具说服力，从而占了论辩的主动。取材平实是《孟子》的另一特色，孟子所引史事均有根有据，极少传奇玄想虚幻的描绘。孟子引古事，常以《诗经》《尚书》为佐证，如《孟子·梁惠王下》："《诗》云：'王赫斯怒，爰整其旅，以遏徂莒，以笃周祜，以对于天下'，此文王之勇也。文王一怒而安天下之民。"

作者和他的作品往往是风格统一的，《孟子》如孟子一样气势浩然、咄咄逼人。如郑振铎所说的"辞意骏利而深切，比喻赡美而有趣"的论辩色彩是《孟子》的又一特色。战国中期，激烈争辩的现实需要和策士纵横文风的沾染，使《孟子》与《论语》的"慎言"拉开了距离，表现出了雄辞激越和气势磅礴的风格。鲁迅精辟地指出："孟子生当周季，渐有繁辞，而叙述则时特精妙。"孟子善养浩然之气，这样的气势也凝聚在《孟子》中。

一方面，俳偶句式和重叠句式的运用使文章气势雄浑，滔滔不绝。李泽厚指出："孟文以相当整齐的排比句法为形式，极力增强它的逻辑推理中的情感色彩和情感力量，从而使其说理具有一种不可阻挡的'气势'。"例如孟子在阐述性善论时，就一连用了四个排比句列述人性的共同特征，珠联绳贯，一气呵成。"恻隐之心，人皆有之；羞恶之心，人皆有之；恭敬之心，人皆有之；是非之心，人皆有之。""恻隐之心，仁也；羞恶之心，义也；恭敬之心，礼也；是非之心，智也。"在《孟子·离娄上》中，孟子为了强调"仁"的重要性，一气推出："天子不仁，不保四海；诸侯不仁，不保社稷；卿大夫不仁，不保宗庙；士庶人不仁，不保四体。"又明知齐宣王之

"大欲"所在，并不直接说出，而是用一连串反诘："为肥甘不足于口欤？轻暖不足于体欤？抑为采色不足视于目欤？声音不足听于耳欤？便嬖不足使令于前欤？"然后点出宣王之大欲所在，步步紧逼、锐不可挡，直令宣王难以招架、溃不成军。其他诸如"孝子之至，莫大乎尊亲，尊亲之至，莫大乎以天下养"，"桀纣之失天下也，失其民；失其民者，失其心也"等排比顶针的句式，更是联珠缀玉，间不容发。

孟子论说的磅礴气势，还与他善于运用对偶、比喻等手法以增强语言力度有关。赵岐在《孟子章句》中说："孟子长于譬喻，辞不迫切而意独至。"善譬巧喻使文章浅近平易而生动有趣，轻快灵便而又深刻贴切。如"沧浪之水清兮，可以濯我缨；沧浪之水浊兮，可以濯我足""劳心者治人，劳力者治于人，治于人者食人，治人者食于人"等。孟子善于用具体生动的比喻说明事理，明喻、暗喻、博喻等手法贯穿全书竟有一百五十九处之多。在卷八《离娄下》中为了向齐宣王说明君臣之间的相互关系，孟子连用六个比喻："君之视臣如手足，则臣视君如腹心；君之视臣如犬马，则臣视君如国人；君之视臣如土芥，则臣视君如寇仇。"将君对臣的不同态度以及臣将采取的相应回报十分形象地揭示出来。大量对偶句和奇句交错使用，许多比喻层出不穷，增添了文章的整体节奏感、动态美，不仅很好地表现了作者的坚定思想和充沛感情，也增强了文章的雄辩气势。

刚柔相济而剖析精深的论辩艺术技巧也充分表现了《孟子》散文鲜明的个性和独特风格。如《孟子·公孙丑下》，作者先明示论点："天时不如地利，地利不如人和。"然后层层深入，按次序分别构成下列论证："三里之城，七里之郭，环而攻之而不胜。夫环而攻之，必有得于天时者也；然而不胜者，是天时不如地利也。城非不高也，池非不深也，兵革非不坚利也，米粟非不多也，委而去之，是地利不如人和也。"一环扣一环，情感充沛激越而又论证周严。

善设机巧、引人入彀，是孟子论辩的又一大特色。一方面，他善于揣摩对方的心理活动，进行有效的启发诱导，引人入彀；另一方面，则顺水推舟，先纵后擒，迂回曲折的论辩方法，往往使对方最终接受自己的观点。如当齐宣王向孟子问霸道时，孟子却以"未之闻也"巧妙地避开，并随即因势利导将话题转入谈"王道"。接着用宣王"以羊易牛"的事，说明宣王有不忍之心足以王，以引起宣王继续说下去的兴趣。进而虚设了力能"举百钧"而不能"举一羽"、明能"察秋毫之末"却"不能见舆薪"的比喻，指出宣王"不王"，是"不为也，非不能也"。当齐宣王恋恋不舍地再次提起"大欲"时，孟子又用"邹不敌楚"的比喻先让宣王承认"小不敌大"的事实，再让他明晓齐"以一服八，以战求霸"道路行不通的道理。从而终于让宣王有了"愿夫子辅吾志，明以教我"的思想转变，心悦诚服地接受孟子的主张。

《庄子》——哲学的天籁

先秦说理散文中最有价值、成就最高的著作就是《庄子》。鲁迅曾说，孔夫子是中国的权势者们捧起来的。如果说孔孟之道因为能扣开富贵之门而众生云集的话，那么道家哲学则全凭庄子，包括《庄子》的魅力，吸引着士子们进入民族历史的核心。

《庄子》一书，汉代著录为五十二篇，现存三十三篇。其中《内篇》七篇，通常认为是庄子本人所著；《外篇》十五篇；《杂篇》十一篇，有庄周门人及后来道家的作品。

闻一多就认为庄子堪称先秦诸子中唯一的文学家。在他所著的《庄子》一文中说："如果你要的是纯粹的文学，在庄子那素净的说理文的背景上，也有着你看不完的花团锦簇的点缀——断素、零纨、珠光、剑气、鸟语、花香——诗、赋、传奇、小说，种种的原料，尽够你欣赏、采撷的，这可以证明如果庄子高兴做一个文学家，他不是不能。""他那婴儿哭着要捉月亮似的天真，那神秘的惆怅，圣睿的憧憬，无边无际的企慕，无涯际的艳羡，便使他成为最真实的诗人。"闻一多先生以诗人特有的多情和敏锐感悟到了《庄子》的诗性特征。

用艺术形象来阐明哲学道理，是《庄子》的一大特色，文中充满了隽永谐趣、奇肆想像的寓言。战国文章，普遍多假寓言、故事以说理，但仅仅作为比喻的材料，证明文章的观点。庄子则不然，他在许多篇章，如《逍遥游》《人间世》《德充符》《秋水》中几乎都是用一连串的寓言、神话、虚构的人物故事联缀而成，把作者的思想融化在这些故事和其中人物、动物的对话中。

《庄子》中自称其创作方法是"以卮言为曼衍，以重言为真，以寓言为广"。卮言是指出于无心、自然流露之言语；重言指借重长者、尊者、名人等久负盛名的人来讲情说理，以使自己的理论更容易为他人接受。卮言、重言、寓言这三言中，"寓言十九"，是最主要的表达方式。闻一多认为，将"寓言成为一种文艺，是从庄子起的"。他甚至认为从《桃花源记》到《西游记》《儒林外史》都可以看到庄子的明显影响。

确实，形象寓言的运用使得《庄子》形象的哲理如生活，它不像《论语》，干瘪瘦弱，即使是称颂的人物也完美得令人不敢仰视；不像《老子》，抽象人生为哲理，微言大义，闪烁言辞。《庄子》则呈现了一个瑰丽多彩的童话世界，在那里面，有乘风而行的异人、长生不死的神仙，甚至连鸟雀、乌龟以至河流、草木都具有了人的形象，拥有高超的智慧与鲜明的个性，谈论着玄妙的道。秋水时至，以为"天下之美为尽在己"的河伯欣欣然东行，"至于北海"始知"望洋兴叹"；而东海的大鳖，也可以向井底之蛙讲述海的广大。这还是一个虚构但形象的世界：在这里，盗跖自有他强盗的道理，甚至可以将孔夫子说教一番；当秦失哀悼老子的时候，也可以"三哭而走"；庄周自己也可以糊涂一把，说些关于蝴蝶和他的故事以及他和骷髅的故事……

汪洋恣肆的文采与浪漫奇特的想像是《庄子》的另一个特色，文辞与思想天衣无缝的融合使语言诗性美达到了极致。闻一多在阐述这种艺术效果的时候说："你正惊异那思想的奇警，在那踌躇的当儿，忽然又发现一件事，你问那精微奥妙的思想何以竟有那样凑巧的、曲达圆妙的辞句来表现它，你更惊异；定神一看，又不知道哪是思想哪是文字了，也许什么也不是，而是经过化合作用的第三件东西，于是你尤其惊异。这应接不暇的惊异，便使你加倍的愉快，乐不可支。这境界，无论如何，在庄子以前，绝对找不到，以后遇到的机会确实也不多。"

《庄子》的想像、虚构往往超越时空的局限和物我的区别。《逍遥游》中"北溟之鱼，化而为鹏，怒而飞，其翼若垂天之云，水击三千里，抟扶摇而上者九万里，去以六月息也"，这是何等夸张的语言，何等磅礴的气势；而《外物》中"任公子垂钓，以五十头牛为钓饵，蹲在会稽山上，投竿东海，期年钓得大鱼，白浪如山，海水震荡，千里震惊，浙江以东，苍梧以北之人，都饱食此鱼。"庄子的想像力丰富到了如此地步，就连蜗牛的两只触角上也各有一国，甚至一旦战争，就要"伏尸数万"，追逐敌人十五天才能返回。《齐物论》写大风的段落堪称生动奇幻的典范。"夫大块噫气，其名为风。是唯无作，作则万窍怒号……大木百围之窍穴，似鼻、似口、似耳、似枅、似圈、似臼、似洼者、似污者……冷风得小和，飘风则大和，厉风济则众窍为虚，而独不见之调调之刁刁乎？"

这样奇特诡异的想像，饱含着智慧的火花，在庄子激情涌动之际，便汩汩然倾诉于笔端了。行云流水的语言、跌宕跳跃的节奏，不正如清人方东树所说的："大约太白诗与庄子文同妙，意接而词不接，发想无端，如天上白云卷舒灭现，无有定形。"

《左传》——乱世的青史

《左传》原名《左氏春秋》，后人将它配合《春秋》作为解经之书，称《春秋左氏传》，简称《左传》。它与《春秋公羊传》《春秋谷梁传》合称"春秋三传"。司马迁和《汉书》的作者班固都认为《左传》的作者是左丘明，但这一观点后来受到普遍的怀疑，由于书中还有个别关于战国初年的史料，一般认为它成书于战国早期，书中弥漫的儒家观点也说明了它最后应该由儒家学者编定而成的。

《左传》记事年代基本与《春秋》重合，记载了鲁隐公元年（前722）到鲁哀公二十七年（前468）的历史，有个别资料涉及到了战国初期。《左传》是按照纪年顺序来记载事件的，而且它在记载事件的同时，创立了一种新的形式，在叙事中或叙事后往往又直接引入议论，以"君子曰""君子是以知""孔子曰"等形式来展开对事件或人物的道德评价，表现出明显的儒家尊礼尚德的倾向，即强调等级秩序与宗法伦理，重视长幼尊卑之别，同时也表现出"民本"思想，增强了叙事的感情色彩。书中揭露了国君残暴昏庸的真面目，肯定和赞扬了有识之士的重民思想。对于各国间频繁的战争，作者总是首先就辨明双方在道义上的是非曲直，并把它同胜负结果联系起来，企图说明正义之师必胜的道理，当时事实往往并非如此，这与后来孟子"春秋无义战"的观点相比，显然还目光稍短。与《春秋》的大纲形式不同，《左传》作者以敏锐的眼光，记述了周王室的衰落和诸侯争霸的事实，以及这一时期各国的政治、军事、外交等方面的重大事件。

《左传》在叙事方面取得了显著成就，唐代著名史学家刘知几在《史通·杂说上》"左氏传"条评价曰："左氏之叙事也，述行师则簿领盈视，咙聒沸腾；论备火则区分在目，修饰峻整；言胜捷则收获都尽，记奔败则披靡横前，申盟誓则慷慨有余，称谲诈则欺诬可见，谈恩惠则煦如春日……著述罕闻，古今卓绝。"《左传》发展了《春秋》笔法，不再用流水账式的简短记事和个别字句的褒贬来体现作者的意象和好恶，而是尽可能详细生动地记载事件的全过程，并通过人物言行及对个别细节的关注来展现事件及人物的全貌，具有很强的艺术感染力。

在叙述方法上，倒叙、插叙、跳叙等手法的运用是其叙事的重要特色。倒叙就是在叙述事件的过程中回顾事件的起因，或者交代事件发生的背景等。如"宣公三年"先是记载了郑穆公兰之死，然后才回顾了他的出生和命名。插叙和倒叙的作用类似，都是补充交代，往往用一个"初"字引起下文的追叙。跳叙是故事情节的适时跳转，但不失文章的连贯性和生动性，正如清人刘熙载在《艺概·文概》中所说："章法不难于续而难于断。先秦文善断，所以高不易攀。然'抛针掷线'，全靠眼光不走；'注坡蓦涧'，全仗缰辔在手。明断，正取暗续也。"《左传》的跳叙就抓住了关键环节，使故事有明晰的主线，正体现了明断暗续的特征。"定公十年"记载武叔欲使人刺杀公若，第一次未能成功，圉人说出了自己的计划，曰："吾以剑过朝，公若必曰：'谁之剑也？'吾称子以告，必观之。吾伪固而授之末，则可杀也。"于是"使如之。公若曰：'尔欲吴亡我乎？'遂杀公若"。由于前文已经交代了详细的计划，所以跳过了刺杀的过程，读者尽可发挥想像，而故事仍不失完整、生动，这种语断意连的跳叙艺术正如刘知几在《史通·二体》中所说："盖文虽缺略，而理甚昭著，此丘明之体也。"

《左传》叙事最突出的成就在战争描写。全书记录了大大小小的几百次战争，城濮之战、崤之战、邲之战等大战的描述历来为人们所称道。就是不计其数的小战役也写得有声有色。

《左传》写战争不仅仅把战争看做是刀光剑影的搏斗，而是把它当做一种复杂的社会现象加以全面叙述，总是抓住事件的重要环节或有典型意义的部分着重地叙述或描写，叙述详细完整，富有故事性、戏剧性；《左传》对战争的叙述一般是从战前写起，先写战争的起因、双方政治上的运筹、民心的向背、对战争的准备以及各种外交上的策略等，然后才写战争本身；以《左传》关于城濮之战的描述为例，作者在叙述战争的过程中不断地展示晋胜楚败的原因，晋文公的伐怨报德、严整军纪、遵守诺言、倾听下言都与楚方的君臣不和、恃兵而骄、一意孤行、盲目进取形成了强烈对比，最终是晋文公"退避三舍，后发制人"而取得了胜利。

《左传》对人物的描写也很有特色。写人简而精，曲而达，婉而有致，常常是寥寥几句，就能使人物形象栩栩如生，使读者如见其人，如闻其声。如"鲁桓公元年"作者描写了一个心怀邪念的守国贵族："宋华文督见孔父之妻于路，目逆而送之，曰：'美而艳'。""目逆而送之"五个字形象地描绘了华文督令人憎恶的丑态；又如"宣公十四年"描绘楚国申舟被宋国杀掉后楚庄王的失常神情和心理时曰："楚子闻之，投袂而起，履及于窒皇，剑及于寝门之外，车及于蒲胥之市。"书中类似这样简练生动的细节描绘还有很多。

《左传》记言文字主要是行人应答和大夫辞令。

晋范宁称《左传》"艳而富"，唐韩愈称其"左氏浮夸"，就是指《左传》雄辩阔论，词锋犀利。如"宣公十二年"载《晋楚邲之战》，晋军失败后，主帅桓子请死，晋侯想允许他死。这时士贞子谏曰："不可！城濮之役，晋师三日谷，文公犹有忧色，左右曰：'有喜而忧，知有忧而喜乎！'公曰：'得臣犹在，忧未歇也。困兽犹斗，况国相乎？'及楚杀子玉，公喜而后可知也，曰：'莫余毒也已！'是晋再克，而楚再败也。楚是以再世不竞。今天或者大警告也，而又杀林父以重楚胜，其无乃久不竞乎？林父之事君也，进思尽忠，退思补过，社稷之卫也。若之何杀之？夫其败也，如日月之食焉，何损于明？"以不可杀为中心展开了层层论证，逻辑关系清楚，通过摆事实、讲道理，令人心服口服。

《左传》对人物外交辞令的书写也历来为人所称道。如"僖公三十年"载的《烛之武退秦师》，在晋秦两大国围困的紧急情况下，老臣烛之武受君之命见秦伯以求情。烛之武非常注意说话的角度和它产生的说服力量，他先承认事实，即在两个大国围困下"郑既知亡矣"，接着便给秦伯分析"亡郑"对秦有害无利，"若舍郑以为东道主，行李之往来，共其乏困，君亦无所害。"进而他再回顾历史，让秦伯想起"晋何厌之有"的事实，使秦伯深知晋的贪婪之心，以达到解散秦晋之盟，迫使其撤军的目的。烛之武表面上似乎处处为秦国考虑，实则委婉而周密，丝毫没有露出为郑求秦的痕迹。整段话语表现出烛之武超人的智慧。诸如此类说辞，《左传》里比比皆是。

《左传》作为中国古代早期少有的文采著作，对后世的文学和史学创作产生了深远的影响。《战国策》《史记》都继承了它的写作风格，形成了文史结合的传统。《左传》在叙事、记言及人物刻画方面都取得了卓越成就，是中国古代的优秀作品，正如朱彝尊在《经文考》引语中说："左氏之传，史之极也。文采若云月，高深若山海。"

《战国策》——隽永的说辞

《战国策》共计三十三篇，记载了《春秋》以后到楚、汉之际的共二百四十五年间的历史。原来书名不确定，西汉学者刘向在整理战国史料时，把六种分别名为《国策》《国事》《短长》《事语》《长书》《修书》的资料分别编入十二国中，并根据这些材料大多是记述战国时游说之士的策谋和言论的事实，定其名为《战国策》，具有珍贵的史料价值。它不仅仅记载了战国时游说之士的策谋和游说之辞，还保存了许多诸如西周君、楚幽王为春申君之后、吕不韦立子楚、嫪毐乱秦宫等珍贵史料。可以

战国七雄形势图

说是一部上接《春秋左氏传》，下接陆贾《楚汉春秋》的战国杂史。全书没有系统完整的体例，都是相互独立的单篇。

《战国策》对人物的描写和刻画十分成功。它突出反映了战国时代纵横家的思想和人生观，他们在政治上崇尚谋略，强调审时度势；在生活中追求自身价值的认可，或者追求功名利禄，或者力求为国解忧。因而在这纷纷乱世中，各色人物粉墨登场，其中不乏朝秦暮楚之徒；也有"解纷乱而无所取"的义士；有苏秦一类的"佩六国相印"举足轻重的大人物；也有突然一鸣惊人的小角色；有巧舌如簧的言官辩士；也有披发仗器的游侠剑客……他们在乱世的舞台上演出了一幕幕生动感人、有声有色的话剧。

　　《战国策》生动地记载了各个阶层形形色色的人物，塑造了诸如纵横之士苏秦、张仪，勇毅之侠聂政、荆轲，高节之士鲁仲连、颜斶等个性鲜明的人物形象。

　　其中对苏秦初次腾达的刻画可谓生动透彻。苏秦第一次游说秦王时，先从秦国的地理和经济入手，然后说："以大王之贤，士民之众；车骑之用，兵法之教，可以并诸侯，吞天下，称帝而治。愿大王少留意，臣请奏其效！"然而秦王以"毛羽不丰""文章不成""道德不厚""政教不顺"的借口，用"愿以异日"四字就体面地把他拒绝了。在"说秦王书十上而说不行""资用乏绝"之后，只好"去秦而归"，而且竟是如此不堪，"赢縢履蹻，负书担橐，形容枯槁，面目犁黑"。这样狼狈的样子当然不讨人喜欢，竟至于"妻不下纴，嫂不为炊，父母不与言"。苏秦愤怒了，"是皆秦之罪也"！喟叹之余，发愤读书，竟到了"读书欲睡，引锥自刺其股"的境地。"期年，揣摩成"，"于是，乃摩燕乌集阙，见说赵王于华屋之下，抵掌而谈。赵王大悦，封为武安君，受相印；革车百乘，锦绣千纯，白璧百双，黄金万镒，以随其后，约从散横，以抑强秦。"苏秦飞黄腾达之后，在游说楚国的途中衣锦还乡，于是上演了"人间在世重多金"的一幕。"父母闻之，清宫除道，张乐设饮，郊迎三十里；妻侧目而视，倾耳而听；嫂蛇行匍伏，四拜自跪而谢。苏秦曰：'嫂何前倨而后卑也？'嫂曰：'以季子之位尊而多金。'"苏秦于是感叹道:"嗟乎!贫穷则父母不子,富贵则亲戚畏惧,人生世人,势位富贵,盖可忽乎哉!"

《战国策》在语言艺术方面也赢得了高度的赞扬。王觉《题〈战国策〉》称其"辩丽横肆,亦文辞之最。"《荆轲刺秦王》一篇因其精彩纷呈而历来为人们所喜爱,其中描述易水送别的一节这样写道:"太子及宾客知其事者,皆白衣冠以送之。至易水之上,既祖取道,高渐离击筑,荆轲和而歌,为变徵之声,士皆垂泪涕泣。又前而歌曰:'风萧萧兮易水寒,壮士一去兮不复还。'复为羽声慷慨,士皆瞋目,发尽上指冠。于是荆轲遂就车而去,终已不顾。"凝重而哀伤,就连有"史家之绝唱"手笔的司马迁在作《史记·刺客列传》时,也不得不大量抄录了《战国策》的原文。

游说和论辩言辞的犀利、精辟是《战国策》的一大特色,从而形成了它铺张扬厉、横肆辩丽的文风。如《赵策》记述触龙的说辞,他顺着赵太后的心思,从谈家常入手,然后引古论今,层层深入地分析"位尊而无功,俸厚而无劳"的危害,终于使太后心悦诚服地接受他的劝告,让她的幼子长安君到齐国去当人质。而在"唐且为安陵君使秦"一节中,唐且与秦王针锋相对的言辞也给人留下了深刻的印象。在秦统一六国前,秦王派人要求以五百里的土地交换安陵君的安陵,安陵君婉言谢绝后看到秦王不悦,只好又派唐且入秦周旋。面对秦王的逼问,唐且毅然表示"虽千里不易也，岂止五百里哉？"秦王大怒，于是双方展开了唇枪舌战，秦王曰："公亦尝闻天子之怒乎？"唐且曰："未尝闻也。"秦王曰："天子之怒，伏尸百万，流血千里。"唐且曰："大王未闻布衣之怒乎？"秦王曰："布衣之怒，亦免冠徒跣，以头抢地而。"唐且曰："此庸夫之怒也，非士之怒也……若士必怒，伏尸二人，流血五步，天下缟素，今日是也！"论争双方兵来将挡，水来土掩，寸语争锋，各不相让。尤其唐且以同归于尽、"挺剑而起"相胁持，最后终于迫使秦王"长跪而谢"。

《战国策》善于将寓言故事巧妙地穿插于文中，用以说明抽象的道理，因而语言更显流畅犀利，更具有说服力。恰当的比喻、工整的对偶和排比句法也使文章瑰丽多姿、生动形象、气势充沛。

如"庄辛谓楚襄王"一节中，庄辛先用"见兔而顾犬""亡羊补牢"两个比喻，形象生动地说明了郢都虽失，但只要励精图治，为时未晚。接着连用蜻蜓、黄雀、黄鹄、蔡圣侯四个比喻层层推进，有力地说明了贪图享乐、不思进取的严重后果。"王独不见夫蜻蛉乎？六足四翼，飞翔乎天地之间，俯啄蚊虻而食之，仰承甘露而饮之，自以为无患，与人无争也。不知夫五尺童子，方将调饴胶丝，加己乎四仞之上，而下为蝼蚁食也。"黄雀"俯噣白粒，仰栖茂树，鼓翅奋翼，自以为无患，与人无争也。"然而可能"倏忽之间，坠于公子之手"。黄鹄"游于江海，淹乎大沼"而"不知夫射者，方将修其碆卢，治其矰缴，将加己乎百仞之上。"蔡圣侯"南游乎高陂，北陵乎巫山……"而"不知夫子发方受命乎宣王，系己以朱丝而见之也"。因而"蔡圣侯之事其小者也，君王之事因是以。左州侯，右夏侯，辇从鄢陵君与寿陵君，饭封禄之粟而载方府之金……不知夫穰侯方受命乎秦王，填黾塞之内，而投己乎黾塞之外"。"襄王闻之颜色变作，身体战栗。于是乃以执珪而授之为阳陵君，与淮北之地也。"

再如《燕策二》苏代以鹬蚌相争为喻，劝说赵惠王不应伐燕，以免强秦坐收其利。其中很多寓言和比喻后来都成了著名的典故，如《齐策二》中的"画蛇添足"，《楚策一》中的"狐假虎威""惊弓之鸟"，《魏策四》中的"南辕北辙"等。

《战国策》是彪炳千秋、影响深远的历史和文学著作，它记载的波澜壮阔、活跃自由的战国雄姿永远定格在了历史舞台上。

秦汉

恢宏壮丽的诗篇

公元前230年至公元前221年，仅仅十年的时间，秦国以锐不可当之势统一六国，问鼎中原，建立了中国历史上第一个中央集权的封建国家。六国已灭，四海归一，中国历史进入了一个崭新的发展阶段。

秦帝国的统治并没有像始皇设想的那样维持"二世三世至于万世，传之无穷"，严酷的暴政致使民不聊生。公元前209年，陈胜吴广在大泽乡揭竿而起，各地农民纷纷响应，六国贵族也趁机起兵。到公元前206年，刘邦、项羽的军队先后攻入咸阳，秦王朝就此灭亡。公元前202年，起于草莽的刘邦经过三年的苦战，终于消灭了项羽，建立了强盛的汉王朝。

在经过战争、吞并和融合之后，中华民族已经成为黄河流域乃至东亚大陆人数最多、经济文化最发达、实力最强的国家。政治经济的发展促进了文化的空前繁荣，在经历了春秋战国时期百家争鸣的思想盛世和秦王朝"以法为治，以吏为师"的短暂沉闷之后，中国文化以恢宏壮丽的姿态出现在历史的舞台上。对后世文化的发展产生了深远的影响。

无论是万里长城的雄伟壮观，还是河西走廊的神秘莫测，中国文化都是以它一贯的恢宏大气向世界诠释着中华民族的灿烂文明。

一、秦汉时代的恢宏豪放

中国文化源远流长，震古烁今，对世界文明的发展产生过巨大的影响。秦汉时期，拉开了中国文化隆重壮丽的序幕，在这四百四十一年的历史中，中华民族走向政治、经济、文化的"大一统"，民族文化恢宏豪放、刚劲优雅、气度万千，充满了前所未有的生机、活力、激情和幻想，千秋百代的风云史诗从此开始浓墨重彩地书写。这是一个开天辟地、继往开来的时代，中国因秦汉而为世人所瞩目，世界也在秦汉时期开始进入中国的视野。

从百花争妍到四海归一

秦统一前的几百年中，华夏大地孕育出多姿多彩的地域文化，尤以南方的楚、东方的齐、北方的燕赵、西方的秦最为绚丽。

楚文化——浪漫与神秘

先秦时代，楚国历经八百余年的发展，由僻处丹阳一隅到拥有中国半壁河山；从跋涉山林以事天子到问鼎中原、饮马黄河，不断地发展壮大，成为"天下强国"。此间，楚国不仅位列"春秋五霸""战国七雄"，而且创造了特色鲜明、内涵丰富、绵远悠长的楚文化。

楚文化有浓厚的浪漫主义情调和神话色彩，崇尚自由，富有激情，善于想像，能歌善舞，信鬼好祠，重卜厚巫，原始文化的痕迹甚浓。最能代表楚文化风格的自然是楚国的青铜器和漆器，是老庄哲学和楚辞，是楚国极富浪漫色彩的祀神歌舞，是出自楚人之口的"三年不蜚

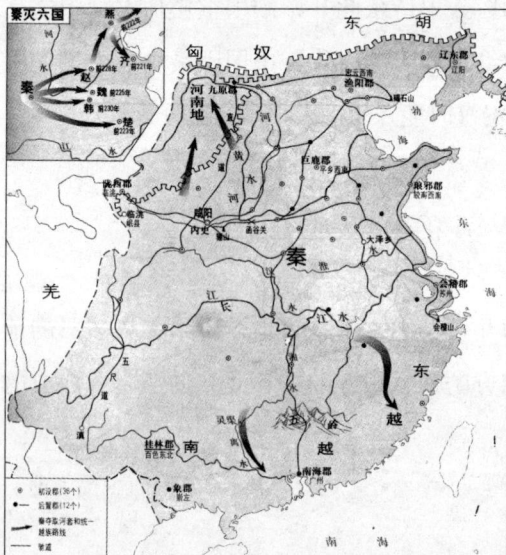

秦朝疆域图

（飞），蜚将冲天"的气势和"楚虽三户，亡秦必楚"的坚忍不屈的精神。

楚文化的诞生和大发展是在江汉地区，这里属于长江中游。

楚人较多地保存了氏族社会自发的自由精神和对自然生命充满热爱的意绪。无羁的想像和浪漫的激情，使得他们把神话和现实糅合在一起，抒发炽热的情感。这种激情的力量推动了他们对新技术的追求，从而丰富了他们艺术表达的手段。这种近乎原始的艺术偏好，虽是古代社会各民族的共同现象，但楚人似乎表现得更充分、更突出。楚国工艺品就富有人神交融的浪漫意境、飘逸流畅的动态美感、精彩绝艳的色彩美感等艺术特色。

楚人留给后人最靓丽的文学遗产就是楚辞。《楚辞》同《诗经》一样，是我国文学两大源流之一。它在民歌的基础上，开拓了宏大的篇体和错落有致的句式。在形式上摆脱了《诗经》以四言为主的句式的束缚，节奏韵律富于变化，表情达意更为深刻而委婉。屈原就是利用自己所创的这一文体，发忧国之愤，抒抑郁之情，充分展现自己的内心世界，把执著的人生追求与爱国主义思想融为一体的。他还采用一系列的艺术手法，把当时流传的巫文化引入辞章，他在辞作中经常神游幻境，驰骋想像，开创了以现实为基础，充满积极浪漫主义特色的新文学天地，从而成为当世及后世浪漫主义文学艺术的典范。

　　楚人的巫、道，是指先秦楚国的巫文化和道家学说。巫在楚兴盛，而道家学说也是楚文化的特色内容，这二者在中国思想和文化的发展过程中都产生过深刻的影响。

　　楚人的巫文化，可以上溯到远古时代的楚国先祖祝融。祝融为帝喾高辛的"火正"，主"司天"，因功显名，故后世楚君多有崇奉巫文化的传统。熊绎、平王、怀王等是"巫祝之道"的比较突出的信奉者，而著名的巫学大师则是被称为"国宝"的楚臣观射父。

　　先秦时代，唯有楚人以东皇太一为至上神。长沙马王堆三号汉墓就曾出土了《太一出行图》的帛画。太一在诸神中处于主神地位；汉武帝重祭祀，也以太一神为至上神，显然，他是继承了先秦楚人奉太一为至上神的传统。

　　就其内涵而言，楚国的巫文化包括多神崇拜、各种巫术、飞升成仙等等内容。它不仅渗透到楚国文学艺术等诸多层面，而且对后世宗教信仰也影响深远。

　　神仙观念是道教的基本观念，得道成仙是道教的终极追求。先秦时代的神仙观有两大系统，燕齐方士刻意于海上求取仙药，楚地则重在借助灵物飞升成仙。楚地这种神仙观及其各种巫术，都是后世道教神仙观和道教法术的重要来源。

　　道家学说，渊源于晚商时代的楚君鬻熊，而代表成熟的道家哲学思想的则是春秋晚期的老子和文子。文子是老子的学生，楚平王的大臣，他的思想对楚国朝政产生过较大影响。

楚文化对后世的影响绵长不绝，经过秦汉时代的继承和沉淀，楚文化浪漫、神秘的气息更加突出和迷人。

齐文化——务实求功

齐文化即东夷文化，起源于太昊、伏羲之世，继承发展于神农、少昊之世，充实增华于太公、桓公之世，繁荣鼎盛于田齐之世。齐文化兼容并蓄，而以儒、道、阴阳家学说为主；以博采众长为本，以务实求功为用，在先秦文化中独树一帜。

公元前11世纪，周武王封姜太公于齐，都营丘，周代齐国建立。太公行富民强国之政，树表东海，成泱泱大国之风。至齐桓公建立霸业，临淄人口已过二十万，号为天下名都。战国时期临淄的富庶繁荣，海内称最。自太公封齐建国至秦并六国，临淄作为春秋五霸之首、战国七雄之冠的周代齐国都城，长达八百多年。姜太公、齐桓公、管仲、晏婴、司马穰苴、齐威王和宣王以及孙膑、邹忌、田单等明君贤臣，都曾在这里建功立业、各展才华，充实和升华了齐国的历史和文化，使临淄成为"钜于长安"的东方名都。

齐文化是东方古文化的精华，在中国的历史上占有重要的地位。

临淄古时的宗教以"八神"为代表，它们是天主、地主、兵主、阴主、阳主、月主、日主、四时主。齐地"八神"是原始农业时期齐地不同区域的先民供奉的不同神祇，明显有先民多神崇拜的遗迹。姜太公分封齐地之后，允许各地民众仍然信奉本部族的神祇，使"人民都归齐，齐为大国"。据《史记·封禅书》讲，天主之祠，在天齐。天齐渊俗名温泉，是自古以来的名泉，位于临淄牛山山脚下的淄河岸边。这里背山临水，景色优美，其所在的牛山，清代时被列为"临淄八景"之一。当地先民认为这里是"天之腹脐"，即天下中心之所在。齐国的先民在此祭祀天主，祈祷风调雨顺。每逢重阳祀日，人山人海，热闹非凡。

齐地面临广袤无垠的大海，随着航海业的起步和发展，海洋的神秘性与形形色色的海外传说相结合，构成了一个神秘莫测的海外世界，并由此产生了对海仙的崇拜。海仙崇拜又和"长生说"紧密联系在一起，在东部海滨赢得了广泛的信徒，发展成为盛极一时的原始宗教"方仙道"，对世人产生极大的吸引力，甚至于几代君主到东海中寻仙求药。《史记·封禅书》记载："自威、宣、燕昭使人入海求蓬莱、方丈、瀛洲……及至秦始皇并天下，至海上，则方士言之，不可胜数。始皇自以至海上恐不及矣，使之乃赍童男童女，入海求之。"自唐以后，仙话盛传不衰，又形成了著名的"八仙过海"的传说。

齐地尚武之风源远流长，齐地的土著夷人就以善射而著称。夷人的"夷"字就是"大"（正面伸臂之人的像形）的身上挎个"弓"组成的。东夷英雄"后羿射日"的神话是夷人善射的集中反映，蚩尤也是齐地人的骄傲，被奉祀为"八神"中的"兵主"。时至春秋战国，崇尚武勇更成为一代时尚风气。《晏子春秋》记载："齐人甚好毂击，相犯以为乐，禁之不止。"《荀子》有"齐人隆技击"之说。技击，指搏斗的技巧，也可以说是最原始的武术。自齐国首创技击之术以后，两千多年中，一直是中华武术的代名词。《管子》则记载了管仲曾向齐桓公提出选拔"拳勇股肱力秀于众者"的建议。

齐国的尚武风俗，不仅在当时齐国的称雄争霸中发挥了重要的作用，甚至影响绵长。两汉时期的游侠格斗，魏晋时期的泰山习武团体，隋唐时期的山东剑术，宋金时期的梁山拳、梨花枪，以至明代的武派大宗，直至当今的武术流行，均以先秦之齐国的武术为其渊源。

当时齐国经济繁荣、政治昌明、军力强大，与此相应的是，齐国的乐舞也非常发达。考古人员在齐国故城遗址及周围地区，曾发掘出大量春秋战国时期的乐器，文献记载中各类乐器无所不有。《战国策》里面描写临淄居民"甚富而实，其民无不吹竽、鼓瑟、击筑、弹琴……"临淄城内遍布娱乐场所，音乐活动丰富而普及。

《诗经·国风》中的十一首"齐风"，实际上就是流传在齐国的民歌。齐国的优秀歌手绵驹，史称"绵驹居高唐，齐右善歌"，影响巨大。民间女歌唱家韩娥"余音绕梁，三日不绝"，其哀乐使雍门"一里老幼，悲愁垂涕相对，三日不食"；其曼声欢歌又使得"一里老幼，喜跃舞，不能自禁，忘向之悲"。据说，雍门的人至今善于歌唱哭泣，就是效仿韩娥流传下来的声音。

有"三代遗声"之誉的韶乐是齐国音乐的精华，传说是舜帝时的乐舞。由于东夷人以鸟为图腾，舜的形象在传说中就是鸟头人身。韶乐演奏时，乐工用五彩羽毛作装饰，扮成各种类型的飞鸟，翩翩起舞、款款而歌。其演奏盛况，让人心醉神迷，以至于孔子耳闻目睹之后，竟然"三月不知肉味"。韶乐失传之后，对其盛况只有从民间闹元宵时"百鸟朝凤"的大型群舞和"百鸟朝凤"的民乐演奏中窥之一斑了。

齐文化中与音乐有关的典故不少，齐康王喜欢万人舞，他豢养的舞伎，"食必粱肉，衣必纹绣"。齐宣王迷恋乐舞，"使人吹竽，必三百"。而齐湣王却喜欢听竽的独奏，以至暴露了那个滥竽充数的南郭先生。当时孔子在鲁国任大司寇，三个月时间把鲁国治理得井井有条。齐国施展阴谋，选八十名能歌善舞的美女献给鲁定公，这些美女身着鲜艳的纹衣、唱着悠扬的歌、跳起优美的"康乐"舞，终于使得鲁定公"往观终日，怠于政事"。由此可见齐地乐舞的杀伤力了。

齐文化是中华民族最为悠远绵长的文化之一。以务实求功为用的齐文化作为华夏民族众多地域文化的重要的一支，它的尚武精神和对海的神往、对乐舞的喜好对后世产生了重要的影响。

燕赵文化——慷慨悲歌

在先秦不同种类的区域文化中，燕赵的文化独树一帜，它既不同于中原和关陇地区的文化，又和齐鲁、江南的文化迥然不同。

燕赵之人给人的第一印象就是慷慨悲歌。司马迁在《史记》中作了一番分析，他认为这是因为燕赵之地靠近胡人，长年备受骚扰，兵戈不断，所以当地的人民慷慨、勇武。在文化和血缘上，此地多年来胡汉杂糅，从晋国时起，就已经剽悍凶猛，中间又经过赵武灵王的胡服骑射，风气更加浓烈。所以此地的男子经常相聚慷慨悲歌，整体风俗剽悍少虑。就连此地的女子也有不同的表现，当时燕赵之地多美女，她们浓妆艳抹，平时操琴，穿长袖衣，着轻便的舞鞋，出入王公贵族之家，博取一时的欢欣。但是从总体上来说，燕赵的民俗是古朴厚重的，当地人性情纯真，擅长骑射，习见兵戈。燕赵之人见惯了生离死别，所以性情刚烈。在《史记》等史书中，充满了当时此地人的杀身成仁、士为知己者死的悲壮往事，几千年后的今天读来，仍然叫人欷歔不已。

当然，细看起来，在燕地和赵地之间，仍然有一些不同，这种不同在先秦时代表现得也比较明显。赵地的文化最为显著的两个特点，一是勇武任侠，一是放荡冶游。赵国文化出自三晋，而晋国正是中国古代法家智谋和豪侠勇武的发源地，这种文化上的潜移默化使赵国一直成为豪侠之士的发源地。《史记》中著名的侠士豫让，为了给自己的主人荀瑶报仇，不惜吞炭漆身，前后两次刺杀赵襄子，其刚烈坚忍，就连赵襄子也感动得喟然而泣。最终豫让壮志难酬，伏剑自杀。豫让受死之日，赵国志士闻之，无不潸然泪下。自此之后，侠义之风在赵地成为一种传统，当时的赵惠文王喜剑，有剑客三千人，日夜相击于门前，虽死伤者百有余人，而好之不厌。

赵地除了豪侠勇武之外，另外一大特点就是放荡冶游。当时的邯郸是全国最富庶繁华的都市之一，百姓生活殷实，志气高涨激扬，具有大都邑人特有的自信和高姿态。男子日常无事，就弹琴悲歌、斗鸡走狗、饮酒狎妓。据说赵地有这种风俗一方面是因为商纣王曾在此地置酒池肉林、纵情淫乐留下的不良习俗，另外也是因为当时民俗于男女大防毫不在意，但最重要的原因还是因为社会经济的繁荣。

相形之下，燕地的文化则是一片慷慨悲壮之色。与繁荣富庶的赵国不同，在春秋战国时代，燕国国力虚弱，在诸侯的争霸中长时间扮演了一个默默无闻的角色。这里山高水寒，承殷商亡国之乱，又承西周初兴之弊，局面狭隘局促，士气乖戾而狷介，充满了苦寒文化的气息。这是一种由政治经济的相对落后而导致的激变，又由激变而产生的一种文化。赵地由于社会繁荣形成了志气高昂的大国之风，燕地则是一剑挡百万雄师的侠士奇锋。这里气候苦寒卑弱，所以文化也就是自怨自艾，刚烈悲壮。

在几百年的悠长历史中，燕地引人注目的时候何其短少！直到战国中期，燕文侯发起合纵抗秦，才引起天下人的注意。后来，燕昭王为报齐国之仇，礼贤下士、招揽人才，经过二十八年的休养生息，终于由名将乐毅率兵大破齐国，报了一箭之仇，这是何等的意气风发！后来，强秦以风卷残云之势，灭掉韩、赵、魏诸国，为挽救天下苍生，燕国发动了一次千古垂念的壮烈之举——荆轲刺秦王。那"风萧萧兮易水寒，壮士一去兮不复还"的悲凉慷慨，那不成功便成仁的洒脱昂扬，标志着燕赵文化的形成和成熟。

自战国末年之后，"慷慨悲歌"四个字便成为燕赵之地的专有，直至清初延续两千多年，成为独特的文化风格，古往今来为人们所仰慕，被天下有志之士视为典范。

西秦的崛起——从政治统一到文化统一

秦朝崛起于西部一隅，早年被中原强国视做夷狄，后来发愤图强，以风卷残云之势，统一六国、定鼎中原，建

阳陵虎符

立起无与伦比的大秦帝国。虽然由于统治过于暴烈而迅速亡国，但是秦文化的基因早已融入中华民族的血脉中，对数千年来的中国历史产生了深刻悠远的影响。

战国以至于秦汉时期，经常有人注意并描述秦文化的一些特点。在当时人的印象中，秦给人的印象是功利世俗、好勇斗狠、韧劲十足。魏国的信陵君曾经说："秦与戎翟同俗，有虎狼之心，贪戾好利无信，不识礼仪德行。"西汉初年，著名的政论家贾谊痛说"秦俗日败"，指出商鞅变法以来，秦国一直是"并行于进取"，虽然"功成求得"，但却出现了社会道德水准严重下降的恶果，秦始皇又"废先王之道，燔百家之言，以愚黔首"，更把秦朝推向灭亡。《淮南子·要略》说："秦人之俗，贪狠强力，寡义而趋势利。"司马迁在《史记》中也说："今秦杂戎翟之俗，先暴戾，后仁义。"这里所说的"俗"，一部分有我们所说的"文化"的含义。

以上言论，虽然包含了对秦国或秦人的敌对心理，不无偏颇之处，但也确实揭示了秦文化的一些基本特征，如秦人因长期生活在少数民族环绕的西部偏僻地区，在性格

武士俑

上受戎翟等西北少数民族的影响，倾向于强悍好斗，为了达到目的，可以下定决心、不惜一切。

秦文化注重实效、功利，质朴而率直，不事虚浮，追求大和多，喜欢不停地向外拓展，为了实现某一目标，定会一往直前，不容任何困难和力量的阻挡，进攻性和主动性极强。

秦统一六国后，推行了一系列的措施，把统一从政治层面推向文化层面，中华民族的文化在多元区域的发展基础上开始出现混同的趋向，这其中最重要的就是文字和法律的统一。我国文字自产生后，经过长期的发展，到春秋战国时期，由于分裂割据的影响，出现了"言语异声，

秦始皇画像

文字异形"的局面，交流起来很不方便。秦统一后，以秦国文字为基础，废除了六国的异体字，同时简化字形，整理出全国通用的字体——小篆。小篆的字体整齐划一、布局紧凑、笔画匀称，明显改变了六国文字构造繁杂、难写难认的缺点。货币和度量衡的统一也为各地的经济交流提供了巨大的方便，而《秦律》的颁布则在道统上将广大的区域捏合为一个整体。《秦律》早已踪迹不可追，相关内容只能去臆测，但是1975年云梦竹简的出土却可以让人窥见一斑。秦律极力维护当时的封建土地私有制，严禁侵犯国有土地和地主的私人土地；为了巩固自己的统治，《秦律》充满了惩治逃亡和"盗贼"的严刑苛法。

秦朝在文学和艺术上虽然成就微不足道，但在政治文化方面，他们却是有不少的发明和创造。他们在政治上

圆形方孔钱

确定的原则是不师古，不崇经，以法为治，以吏为师。推行这些政策的极致，就是实施严刑酷法，直至"焚书坑儒"野蛮举措的开展。秦始皇三十四年（前213），博士淳于越反对中央集权的郡县制，建议依据古制，封子弟功臣以为枝辅。丞相李斯为杜绝"诸生不师今而学古，以非当世，惑乱黔首"的现象，提出焚书的建议。秦始皇采纳其建议，下令除秦国的史书、博士官收藏的图书和百姓家藏的医药、卜筮、种树等书外，凡列国史记、百姓私藏的《诗》、《书》和百家语等均限期交出焚烧。此外还规

秦朝琅邪台石刻

秦朝驰道图

定偶语《诗》《书》者处死，以古非今者诛，吏见知不举者与同罪。次年，为秦始皇寻觅长生不老仙药的方士侯生、卢生，因难以继续行骗，便以始皇贪于权势，未可为求仙药为由，相约逃亡。秦始皇闻讯大怒，认为儒生多以妖言惑乱黔首，于是下令御史案问诸生，受株连的儒生达四百六十余人，全被活埋于咸阳。焚书坑儒给文化以严重的摧残，对思想和学术自由更是沉重的打击。

　　站在今天遥望那个时代的文明，最能代表秦文化总体风格的就是《秦律》和"以吏为师"构成的法制文化体系，几千年来这也成为历代帝王驾驭天下的圭臬。而秦始皇巡游天下过程中留下的煌煌石刻、文辞、始皇帝陵墓及其陪葬坑的兵马俑，仍然向后人宣扬着那个时代的声威和辉煌。

汉文化——楚文化与秦文化的合流

　　春秋时期，楚国曾有志北进，但遇到将它视为蛮夷的北方强国晋、齐的有力遏制。楚国因而改以东进与南拓作为战略目标。

　　到战国初年，楚国向东扩展的势头很猛，基本占有了长江下游地区，其北界已接近黄河，东部属于吴越文化区的吴、越故地已归其所有。同一时期，其南界也达到或越过了南岭。然而，楚国又遭到来自西方的大国秦国的严重威胁，到楚怀王（前328～前299）的后期，楚国在秦国的外交欺诈和军事进犯中，丢失了西北边境的土地。后来，形势益发恶化，楚国的都城郢（今湖北荆州市）也失守了。在战国后期，楚国的西界一再东移，它的政治、经济和文化中心也移到了长江下游地区。与此同时，也发生了楚文化重心的东移。楚国的贵族春申君的采邑位于大海之滨的江东，楚国的东境到达徐州、泗水、邹、鲁一线，这

秦代瓦当

"汉并天下"瓦当

里的居民都开始自称为楚人了。

秦汉之初最显赫的人物项羽、刘邦，都表现了鲜明的楚文化色彩。对于项羽来说，自有其原因，他的祖父项燕是楚国名将，因而对故国念念不忘；而刘邦所居的徐泗地区，原本离在江汉平原的楚国中心地区甚远，但到战国中后期，楚国的势力已达邹鲁境内，这一带很快"楚化"了。

刘邦好楚声、楚舞、楚衣，信口吟出的也是很地道的楚辞，可以称得上一个楚文化迷。据载，"沛人语初发声皆言'其'。'其'者，楚言也，高祖始登帝位，教令言'其'，后以为常"。由此可见，徐泗一带在语言上也受到楚语的影响，而原非"楚人"的刘邦，对此十分欣然，并热心加以推广。

楚汉之间，民间多乐楚声。对此，鲁迅这样解释："盖秦灭六国，四方怨恨，而楚尤发愤，誓虽三户必亡秦，于是江湖激昂之士，遂以楚声为尚。"以此来解释楚文化的高扬，固合情理，但又必须看到，楚文化在东部滨海地区的长期浸染，早已取得显著的效果，这才是

"楚声"大张更深层次的原因。反秦斗争初起之地是在"楚"，陈胜定国号为"楚"，并以"张楚"作为政治纲领。秦二世也称陈胜等是"楚戍卒"。项羽自称"西楚霸王"，他的政治旗帜依然是"楚"。刘邦继承陈胜等所开创的事业，他又曾受西楚霸王项羽之封，虽然他后来打败了项羽，但他并不以"楚"为讳。

西汉就是在这样浓厚的楚文化氛围中建立的，汉初文化上的特色确实是楚文化基本特点的表现。汉初政治上的指导思想是黄老之术，黄老思想本是楚人所创。

然而，尽管汉初楚声是如此高昂，但是，汉文化并不等于楚文化。汉文化不是对任何一种文化的全盘因袭和简单摹写，它是在文化上全方位吸纳和扬弃后进行的更新和创造，其中包括对秦文化和楚文化的继承和改造。

西汉在政治上取代秦朝的同时，对于楚文化是吸收的，但对秦文化也并不是完全弃置，同样也是既有继承，也有改造。秦在兼并齐、楚、燕等六国建立统一的王朝后，秦文化在刀光剑影中传播到全国，成为后来辉煌的汉文化的基础。虽然秦朝存在的时间十分短促，秦朝文化也只是昙花一现，但秦朝文化是长期积力蓄能而成，它有着内容上惊人的扩充和创新的潜力，故它并不因为存在时间短促而一闪即逝，相反，它有相当一部分内容转移到汉文化中，成为汉文化的重要成分，这是一种文化的借壳存身。

汉朝和秦朝一样，也曾是一个充满开拓精神和恢宏气魄的政权，汉文化和秦文化相比，至少有以下这些特质并没有发生根本性的变化：

其一，无论是秦文化，还是汉文化，其最基本的特征，在于它们都有基本相同的政治文化和制度文化，而且对于它们来说，政治文化又都是诸文化要素中高于一切、支配一切的。

这两种文化有着基本一致的政治上的制度文化系统。秦朝在中国历史上第一次建立了中央集权的、专制主义的、统治到社会基层、严格约束到每一个家庭和每一个人的政治统治，这就是后人经常所说的"秦制"。而汉朝基本沿袭了这一整套制度，所谓"汉承秦制"，主要就是指的这种政治上的继承。西汉制度对秦制有因有革，而因袭的一面是主要的。汉朝建立后，最高统治者还是称皇帝，百官制度大体未变，政府的运行机制并无大异，皇帝、百官的行为方式也是基本相同的。以汉武帝刘彻的心理、行事与秦始皇作比较，更可以清楚地看到汉文化和秦文化的大同小异。

其二，秦文化追求"大"和"多"的进取风格，汉文化也大体继承下来了。秦大建宫室苑囿，汉也基本如此。汉高祖刚刚取得政权，形势还没有稳定下来，刘邦本人还在为平定四方而奔走，而留守关中的相国萧何，就在长安建了宏丽的未央宫，其规模连身为皇帝的刘邦也觉得过分。但萧何对此的解释是："且夫天子以四海为宜，非壮丽无以重威。"
如此表述的这一文化心理就是秦文化的潜在表现。汉武帝
时，也大治宫室苑囿，其规模巨大，作风浑厚朴实，和秦人
的美感追求基本上是相同的。

其三，重鬼神，求异效（长生等），浓厚的迷信色
彩。虽无发达的宗教，却有宗教式的狂热，这也是秦文
化、汉文化的相似之处。汉武帝之好鬼神，既像楚人，也
像秦人，表面上许多地方像楚人，但就其大动作而言，是
更接近于秦人之为的。

正是在对楚文化、秦文化等主要文化吸收和继承的基
础上，汉文化才呈现出浪漫、庄严又极显神秘的特色。

浓厚迷信色彩的信仰

秦汉时代的信仰是多彩多姿的，时间的流逝和政权的
更替并没有打断传统信仰的传承，相反，新帝王的喜好反而
更加深了某种信仰的根深蒂固。荆楚文化、燕齐文化的神仙
信仰依然在秦汉时代流传，秦始皇和汉武帝为它们添了新的
一页——留下了他们对神仙方术的执著身影。同时，当汉
初道家"黄老之学"走向发达的时候，儒家在求用的路途
上依然不屈不挠。在经历了焚书坑儒的折磨和汉初儒者的
精心调整之后，在董仲舒的努力下，儒学终于赢得了统治
者的另眼看待，然而正是这种"天人感应"的附会之说和

新帝王对谶纬迷信的利用和喜好又使儒学走入了僵化和尴尬——与谶纬迷信思想的合流。

多神教与神仙方术

中国古代的宗教信仰为多神教。人们从现实的、功利的角度出发，对有功于人的祖先、有功于人的自然界祭祀祈福。天地、日月、星辰、山川以及与日常生活关系密切的动物等，都可以变成神。人们虔诚地年年祭祀，向它们表示敬意，祈求幸福，盼望得到诸神的恩施。因此，人、鬼和神的合为一体是信仰多神教的一个显著特点。

秦人在游牧时代，先活动于今甘肃南部一带，后向东迁移，他们的宗教就是以白帝为首的多神教。及至秦人兼并天下，秦始皇做了至高无上的皇帝，秦人种族之神——白帝也上升为统治全国之上帝。尽管如此，秦朝的宗教依然是多神教，如同以皇帝为首的三公九卿，下置郡、县、乡、亭各级官吏一样，秦朝的虚幻世界也是以上帝为首，下设大小诸神，好似蜘蛛网遍布全国。

神仙传说可追溯到战国时期，出自荆楚文化和燕齐文化。当此之时，一些文人骚客出现了许多幻想，如庄子和屈原。庄子创造出"真人""神人""至人"这些逍遥自在的人，他们不食五谷，吸风饮露，乘云御龙，游乎四海之外。神仙的特点其一是形如常人而能长生不死，其二是逍遥自在、神通广大。而燕齐近海地区更是产生神仙说的丰厚土壤，这些地区海天明灭变幻、海岛迷茫隐约、航海艰辛神秘。当人们去海上探险时，受海市蜃楼变幻莫测的影响，无限的追求、想像力的驰骋使他们幻想脱离现实，悠游于自由世界，翱翔于天人之间。

这时燕齐之地的方士阶层应时而生。他们自称能够通神，炼出不死的丹药，能够飞升成仙。方士们吸收了邹衍的阴阳五行说（五行即金、木、水、火、土。他认为阴阳消长，极而反复；五行推移，终而复始。阴阳五行论里面的历史发展是盘桓往复，周匝循环的）、地理知识、道家的方仙以及鬼神说，构成了神仙说的理论体系。那时，昆仑神话系统中种种神奇瑰丽的故事已流传到东方。西方的神、东方的仙融合在一起，使方士的神仙体系更增加了迷人的魅力，经过齐威王、燕昭王等两国国君的大力提倡，神仙说开始在多浪漫幻想的齐、燕两地的文化土壤里生根、发芽，经过方士们的渲染，到战国末年盛行起来。

及至秦一统天下，随着邹衍"阴阳五行说"的风行，以及人们对海外的热望，方士的神仙说开始风靡。秦始皇贪生怕死，对生命不朽的渴望使方士的神仙说走进了咸阳宫，这位声称"功盖五帝"的天下第一皇现在又倾慕"真人"，一心一意要做一个入水不湿、入火不热、不食人间烟火，可以乘云气与天地相始终的"仙人"。从此，燕齐方士一批又一批东航于海上，为其寻找长生不死之药。徐福曾经上书说海中有蓬莱、方丈、瀛洲三座仙山，仙人居住在那里面。秦始皇于是派他带童男童女数千人入海求药。直到临死，他还南到湘山，登会稽、东游海上，希望得到神山的仙药。

汉高祖刘邦以赤帝之子自居，曾演了一出斩白蛇的滑稽戏。刘邦把秦人的种族神——白帝挥剑斩为两段。这意味着刘邦称帝顺应天意，成为赤帝在人间的代表，从而给自己登基增添了神圣的灵光。尽管如此，汉代的宗教仍然是以上帝为首的多神教，除继承秦俗，祭白、青、黄、赤等四种颜色的天神外，又追祭黑帝，从而出现了五色帝。这五色帝就是把阴阳五行说图像化，即将金、木、水、火、土五种物质神化。

神仙说在汉武帝时期更为兴盛，众所熟知，汉武帝时期是汉文化浪漫精神发扬光大的时期，充分体现时代精神的象征人物——汉武帝的一生就是在求仙学道中度过的。他在"外摄夷狄"和"内依法度"上可谓功盖千秋，而在崇信神仙道术方面所施展的雄才也可谓浪漫至极。他不仅东巡海上、封禅于泰山、派方士入海寻求蓬莱仙境，而且派使者向西探险，寻西王母仙境、求大宛马，欲驾天马成仙。当时的方士李少君、少翁、栾大等深得汉武帝宠信，汉武帝听信李少君的话，亲自炼丹祠灶。少翁曾经施展法术使汉武帝看见了死去的李夫人，武帝大喜之下拜他为将军，赏赐颇多。后又听其建议，建甘泉宫祭拜天神。方士栾大吹嘘自己往来海上，曾经见过仙人，武帝听后大

"羽化成仙"的铜羽人

喜，拜为将军，还把自己的女儿嫁给他。直到临死之时，武帝才恍然大悟，他后悔地说："天下岂有神仙，尽妖妄耳。"

多神崇拜和对神仙方术的向往体现了秦汉人对个体生存的关注和对生命永恒的追求，它虽然在政治统治上带来了消极的影响，但在艺术上却留下了绚丽的风景，铜镜铭文、帛画、画像石和墓葬艺术都体现了当时人们对生命的期望和想像。

儒学·经学·谶纬

儒学、经学与谶纬的发展与合流是汉代思想史上最引人注目的一页。

汉朝初立，儒生们刚刚从秦始皇"焚书坑儒"的噩梦中清醒过来。当汉高祖发出总结秦亡经验的诏令后，陆贾"无为而治"的治国方略由于适应了汉初百业待兴的局势

西汉鲁壁

而赢得了极大的关注，并确定了汉初几十年的政治基调，道家的"黄老思想"由此占据了主导地位，并在学术上结出了《淮南子》这样丰硕的果实。

汉初道家的"黄老之学"走向发达的时候，儒家也在寻找着重新振起的机会。一方面在思想上不断吸收着包括黄老思想在内的其他学派的营养来丰富自己；另一方面，从有"儒宗"之称的儒生叔孙通开始，就在实际行动上争取主动。他一边在刘邦耳边诉说"儒者难与进取，可与守成"的政治抱负，一边采取行动援引儒家礼制，制定了要求遵守尊卑的君臣礼仪，"无敢喧哗失礼者"，遂了刘邦欲知"皇帝之贵"的心愿。但是作为"马上得天下"的刘邦，内心并不敬重这些吟书诵经的书生，不过，既然儒家的礼法能让王臣们"振恐素敬"，为什么不听之任之兼而利用呢？这正是刘邦的狡猾之处。向皇权靠拢是儒家在黄老政治优势下的唯一出路，儒生们积极行动起来，贾谊、晁错、辕固生等都在政坛上留下了活跃的身影，但是随着

"天下晏然"的社会效果的实现，黄老思想在上层社会主流意识的地位实在难以撼动，直到"换了人间"。

汉武帝继位时，汉朝已经完全摆脱了初立时的残败景象，赫赫帝国的声威震慑四野，内敛无为的黄老之术已经随着帝国的兴盛渐渐失去了它原有的作用，鼓吹君权至上的儒学却受到了少年气盛、欲展宏图的刘彻的青睐，因为这是他施行"有为"政治的保证。耐心地等到崇尚黄老的窦太后咽下最后一口气之后，雄才大略的汉武帝听从了书生董仲舒的劝说，一纸"罢黜百家，独尊儒术"的诏书，将儒学适时送进了至尊的天堂。孔夫子的政治梦想终于得以登堂入室，结束了庙堂之外辗转各国的尴尬。儒生们也放松了战战兢兢、如履薄冰的心态，如释重负地吐露了心迹，一大批儒学作品绽放开来，他们等待这样的日子已经很久了。

在政治上获得优势之后，董仲舒在公元前134年的"贤良对策"中的脱颖而出，又为儒家赢得了思想上的优势。董仲舒借助可以自由阐发的"春秋公羊学"，汲取道家的理论精华，附和"阴阳五行"学说，采纳法家的合理因素，创立了一个迎合武帝治国形势、将诸家合理因素融于儒家三纲五常的大一统理论。他的"天"是"百神之君""万物之祖"，"道"是"原出于天"的天道观，顺势解答了汉武帝为加强皇权提出的"天命"问题，这里的"道"是改换道家的命题，指"治国之道"和"人伦之道"。之后，董仲舒又将"君"自然地与"天"联系了起来，"唯天子受命于天，天下受命于天子，一国则受命于君"。这样的君权神授说自然也引出了天能干预人事、人事能感应上天的"天人感应说"，于是，自然界的灾异和祥瑞成了上天对人世间的谴责和嘉奖，儒学得到了升华。接着，董仲舒将"人伦"与"天道"结合起来，建立了"三纲""五常"的伦理学。在强调"阳尊阴卑"的前提下，主张"君为阳，臣为阴；父为阳，子为阴；夫为阳，妻为阴"。他将五行学说纳入自己的体系，用五行来解释五种封建道德属性，将孝道说成是任何人不可违抗的"天之道"。同时他还提出了黑统、白统、赤统的"三统"说，三统循环往复，"天道不变"，只是通过新王朝的"徙居处""更称号""改正朔""易服色"等历法礼仪的改变来体现顺天志的王朝更替，为汉朝的建立强调"正统"地位。他还提出了维护纲常的"性三品"说，将人性分为"圣人之性""中民之性""斗筲之性"。"圣人之性"自然是可以"成天道"属善性的统治阶级；"斗筲之性"是不可教化属"恶性"的平民百姓；"中民之性"可善可恶，从而将封建专制统治神圣化。

作为一套完整的封建神学体系，经董仲舒改造后的儒学不仅取得了在汉代的独尊地位，而且成为了中国古代整个封建社会的官方哲学，稳坐了中国文化思想史正统的宝座。

随着汉武帝独尊儒术的进行，儒家经学受到空前的重视并成为了帝国学校教育的主要内容。公元前136年，汉武帝专门设立了儒家五经博士，其后又配置弟子，在最高学府太学中设立的儒家经学教育正式开始了。然而长达三百余年的今文、古文经学之争也在随后的日子里酝酿着，并且不可遏制地爆发出来，随着皇帝的政治需要呈现出此消彼长的形态。

　　所谓今文经，是指由师徒、父子口授传经，用汉代通行的隶书书写而成的定本。董仲舒推崇的是今文经学派，汉武帝设立五经博士所用的儒家经典都是今文经籍；古文经则是用先秦的大篆写成的儒家经典，因汉时大篆已不流行，故称为古文。古文经在汉初已陆续发现，但没有设立博士，不列于学官。到了汉哀帝的时候，古文经阵营里出了一位有名的斗士，著名经学家刘歆继承父亲刘向的事业，上书请求将校阅宫廷藏书时发现的一批古文经在太学设置学官，充做教科书，于是在学术界掀起了轩然大波。刘歆与今文经学的支持者们展开了激烈的论争，许多执政大臣站在今文经的角度，一致反对立古文经，刘歆被迫离开京城。这就是汉代第一次今古文之争。

　　那么今文经、古文经究竟有什么不同呢？大致有下列几点：今文经学家推崇孔子，他们不仅把他看做是优秀的史学家，而且是政治家和哲学家；而古文经学家则只承认孔子是史学家，写了历史而已，在他们眼中，周公才是真正值得推崇的对象。今文经学家认为古文经是刘歆伪作，是假冒伪劣的；而古文经学家认为今文经不过是战火之余，是残缺失真的。而且今文经学家信纬书（纬，是与经相对的，譬如织布，有经有纬。汉朝许多人相信，孔子作了六经，还有些意思没有写完。他们以为，孔子后来又作了六纬，与六经相配，以为补充。所以，只有六经与六纬的结合，才构成孔子的全部教义。当然，这些纬书实际上都是汉朝人伪造的），古文经学家则认为纬书荒诞不经，不肯相信。

平帝继位之后，刘歆因得到王莽的支持而受到重用，古文经因王莽制造舆论提高威信的政治际遇而东山再起，《古文尚书》等一批古文经设立了博士，成为了当时的显学，古文经由此得到广泛的传播。光武帝刘秀建立东汉政权后，废斥王莽时所兴的古文经，崇信、推崇今文经。然而古文经已经在民间广泛流传开来，今文、古文的争论一直没有停止。由于古文经学派出了一批诸如贾奎、马融、郑玄、许慎等十分优秀的古文经学大师，而渐显优势，并且在东汉末年势力大盛，此后直到清朝，古文经一直保持了绝对的优势。

董仲舒在侃侃而谈他的儒学思想的时候，怎么也不会想到他的"天人感应"的附会之说会使儒学走入僵化和尴尬的境地。正是这种对苍天威慑力量的夸大使儒学在西汉晚期渐与谶纬迷信思想合流——经学谶纬化。这股在哀帝、平帝时代蓄积的潜流经王莽的首发，又经光武帝的另眼看待而在东汉盛行起来。

谶纬作为一种社会思潮，有着它深刻的历史渊源。"谶"原义是指应验、灵验之义，是一种"诡为隐语，预决吉凶"的神秘预言。因为这种预言被认为是出自上天，是上天意志的反映，因而也称做"符命"，由于经常附有图，故称"图谶"。先秦时，已经有了秦谶，相传秦穆公梦见天帝亲口告诉他晋国将大乱。秦朝时，快意天下的"亡秦者胡也"的预言就是谶语。陈胜、吴广起义也曾假托"鱼腹帛书"和"祠中狐鸣"来号召力量和鼓舞士气。之后，汉高祖刘邦也用"斩白蛇"的故事宣传自己的赤帝之子的身份。只是这时的"谶"还只是民间蒙昧思想的产物，没有与儒学牵连。"纬"是方士化的儒生用神学观点对儒家经典的解释和比附，是相对于"经"而言的。纬书依附经书就如同纬线

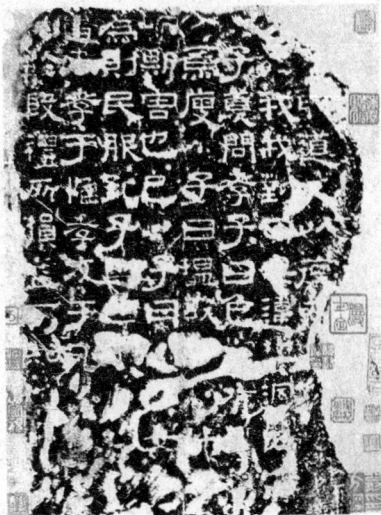

熹平石经

和经线维系在一起一样。"纬书"搬出孔子来煞有介事地宣传鼓噪，假托孔子之言把儒家经典神秘化，孔子一时成为了天意的代言人。"谶"和"纬"结合以后，儒学的神秘化开始了。

西汉晚期，帝国势力衰微，统治日益腐败，利用种种预言突出"神意"的活动频繁出现，大都是对现实政权不满的泄愤之举。哀帝时，夏贺良根据谶语请求皇帝更改年号以顺应形式，尽管哀帝依言而行，还是未能摆脱西汉以来沉积的痼疾和厄运。王莽篡位前后，制造符命，对谶纬的发展起了推波助澜的作用。光武帝刘秀更是谶纬的大肆鼓吹者，他甚至把谶纬作为一种统治工具，不管是制度的施行、服色的更改，甚至大臣的任命，他都要不辞麻烦地假托谶纬来进行。既然谶纬是天意的体现，是至高无上的上天旨意，天子都要尊奉，何况大臣们呢？这样正好堵住了大臣们的嘴，这样的闹剧一度上演了许多年。之后，谶纬成为了一种风靡一时的学问，儒士、臣僚、贵族们都争先恐后地学习图谶，以至使后来的整个东汉王朝弥漫在狂热的迷信信仰的烟雾中。

《白虎通义》是经学与谶纬合流的产物，是一种融和董仲舒思想和谶纬之学的官方宗教哲学。它是经过汉章帝"称制临决"，由班固整理成书的。在这部书里，"天人感应"、"天人合一"、"三纲"、"五常"、"三统说"和"天命论"等得到了进一步重申，封建社会的国家宗教形成了。

当整个社会沉迷在谶纬的乌烟瘴气之中时，少数保持清醒的异端者发出了振聋发聩之音，体现真理的异端思想一经发源，如滚滚洪流般冲击着封建儒家思想神学的堤岸。继扬雄、桓谭之后，王充、王符、仲长统等纷纷发难，掀起了对董仲舒"天人合一"神学思想体系的批判，横扫低级庸俗的谶纬浊流，形成了一股异端勃起的热潮。他们的学术思想虽然得不到封建统治者的承认，但是却如穿透正统思想封锁云雾的光芒，给黑暗中摸索前进的人们投下思想上的斑斑光明。

对外交流——会通中西

秦汉时期是我国古代对外联系大发展的时期，中华帝国的盛世形象正是在这样不断开拓进取的追求下，流播东西的。这一时期，日本、朝鲜、东南亚和南亚的部分国家开始或者继续同秦汉帝国保持经济和文化上的友好往来。张骞、班超出使异域之后，汉帝国又迎来了新的友好交流的高潮，这种互通有无的交流促进了帝国的发展繁荣。

流风东被

中国的东邻是朝鲜与日本。中国和朝鲜历来是唇齿相依的友好邻邦，早在商周时代就已经有了密切联系，周武

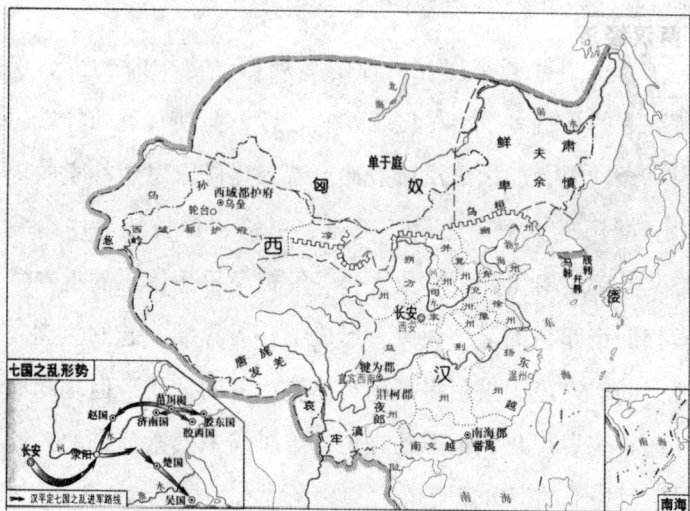

西汉时期疆域图

王曾经命箕子入朝鲜，箕子教当地居民以礼仪田克制八条之教。战国时燕、齐等国与朝鲜毗邻，都与朝鲜有频繁的经济交流。四千六百九十四枚燕国的明刀钱出土于朝鲜谓原郡、江界郡、昌城郡、宁边、宁远郡等六个地区，就是华夏文化已广藏于朝鲜的佐证。

西汉建立之初，燕、齐、赵等地数万人避乱于朝鲜。卢绍逃入匈奴之时，燕人卫满也率众数千，由燕地出发，长驱东进，渡过朝鲜清川江，进入朝鲜腹部，不久称王，定都王险（今平壤），这就是历史上所谓卫氏朝鲜。

古时候的文化交流尽管是历史交响乐中一曲欢快的音符，可它的产生常常伴随着鲜血和烈火。汉武帝时期，汉朝派兵征服古朝鲜右渠政权，设置了乐浪、临屯、真番、

西汉云纹漆耳杯

玄菟四郡。从此，西汉经济、文化不断东传。

历史洪流滚滚向前，所过之处留下了它不少痕迹。在平壤曾经出土了精美的漆耳杯、漆盘等，都是西汉官营手工业的产品。更值得瞩目的是解放前，日本人在朝鲜乐浪郡发现的彩箧中的许多漆器，笔势奔放、人物画飞跃流动，与楚文化的浪漫传统一脉相承。

由于两国间的经济文化交流，当时古朝鲜人已开始使用汉字。据朝鲜史书记载，公元1世纪初，许多朝鲜人就可以熟练地背诵中国的《诗经》《春秋》等经典。朝鲜渡口守卒霍里子高妻丽玉所作的《箜篌引》（亦称《公无渡河》），那凄惨悲凉之声，横贯了几千年，成为汉乐府《相和六引》之一，至今仍保留在晋人崔豹的笔记——《古今注》中，成为古朝鲜人流传下来唯一的文学作品。

当然朝鲜半岛也是中日经济、文化交流的重要桥梁。

那时中日虽然相隔渤海、黄海和日本海，看上去一望无垠，但随着海上交通日渐发达，两地人民经朝鲜，靠一叶扁舟，漂洋过海，往来于日本列岛和大陆之间，播种着友谊的种子、传达着经济文化的信息。

众所周知，秦始皇二十八年（前219），齐人徐福率领童男女三千人入海求仙，采长生不老之药。传说徐福东至日本，在熊野浦的新宫市附近上岸，他们在这里披荆斩棘，筚路蓝缕。如今在日本熊野山尚有徐福的墓、碑存在。如果说徐福东渡仅是神奇而浪漫的传说难以取信，那么秦汉时期中国居民已移居日本却是确凿无疑的事实。

日本人类考古学中有一个专有名词叫"归化人"。他们将公元3世纪前从东亚大陆或南洋诸岛移居日本列岛的居民称为"秦汉归化人"，以区别日本原始居民。

1958年，日本考古学家金关丈夫在日本九州岛东南的种子岛发现一批陪葬物，出土了"贝扎"（贝制片状物，用做陪葬品）、"腕轮"（手镯）数件，在"贝扎"上写有"汉隶"文字，在"腕轮"上刻有爬虫纹样的图案。那是从战国至汉代移民日本列岛的"归化人"留给我们的信息。

当时日本列岛正处于分裂状态，小国林立。统一了中

汉代蓝琉璃碗

汉代漆器

国、威震四邻、扬威于东方的汉帝国，对于这些身材矮小、好歌喜舞、风俗习惯与中国东南沿海百越族大抵相同的倭人具有很大的吸引力。为了吸收汉朝的文化，日本列岛的三十多个小国派遣使者冒着生命危险，横越万顷波涛，奔向西方，经朝鲜乐浪，再由辽东陆行，与汉王朝建立联系。他们借助自然的海风到达平壤附近的乐浪郡太守所在地，献上方物，换取中国和朝鲜赐予的珍奇物品。在日本弥生文化遗存中，有汉代的铜镜、璧、玉及王莽的货币，这就是有力的证明。中日两国的经济文化交流，就这样以朝鲜半岛为舞台，揭开了长达两千多年历史的序幕。

汉光武中兴，中日经济文化交流得到进一步发展。这时，日本人所到之地不仅仅是乐浪，而是到达京师洛阳。当时的史书记载说，日本曾经派人前来进贡，光武帝赐给了印绶。史书上寥寥几字的记载一直没有找到有力的佐证，许多人怀疑它的真实性，可是1784年，在日本福冈市东区志贺岛上发现了一颗金印，上面赫然刻着"汉倭奴国王"五个汉字，拨清了那段历史的迷雾。在这里，还发现了许多汉代的铜镜、铜剑等，说明这里是日本与中国交往的中心区域，金印上所刻文字与《后汉书》的记载恰好吻合，说明这颗金印正是光武帝赐给倭奴国使节的金印。

与日本、朝鲜等东方邻邦的友好交往是我国古代中西交流史上灿烂的一页。

开化南方

秦汉时期的东南亚、南亚与日本一样，都处在小国林立的时代，当时中国与这些地区都建立了经济、文化联系。

中国与越南自古以来就在经济文化上有着密切的联系，秦皇汉武都曾经征服此地，将礼仪教化传播在这些炎热潮湿的土地上。中国的文化、风俗以及铁制农具源源不断地进入以狩猎为业的越南，越南的土特产诸如翡翠、犀角、珠玑等吸引了不少的中原商贾，从而丰富了彼此间的经济文化生活。

如果说西汉时期中越间经济文化交流以经济为主，那么到了东汉，文化交流则成为了当时的主旋律。汉文化在此地落地生根，影响日见彰著。自光武中兴之初，贤明的交趾太守锡光、九真太守任延，赴任后教越民耕种技术，定嫁娶之礼，创立学校，导之礼仪，传播先进的汉文化，对改变当地落后状态起了很大的促进作用。及至汉末，中原军阀割据，内战不已，不少士人浮海或陆行，南奔交趾避乱。据《三国志》等史书记载，沛国桓华、沛郡薛综、汝南许靖、郑玄的弟子程秉、苍梧人牟子等先后南奔，避乱于交趾。交趾太守士燮也乐意招纳士人。程秉、薛综从名儒刘熙学习，考论大义，博通五经；牟子在这里兼容并蓄，吸收异教养分，援引《老子》，著《理惑论》，为佛道辩护。当此之际，汉文化的光辉不仅把五岭照得通明，而且通过五岭的峡谷，在交趾熠熠生辉。于是在汉末动乱之秋，交趾一度成为中越、中西海上文化交流的中心之一。西方及南海诸国的使者、逐利之商人浮海东行时常常取道于此，然后进入南方各地。

当时秦汉与东南亚、南亚等地的交往有水陆两线。陆行者从四川经云南，可达缅甸。当时中国的蜀布、邛竹杖就是由这条路线运往身毒、大夏等国的。与此同时，海上交通也已开辟，从广西合浦或徐闻县可乘船到缅甸，因此汉代与缅甸的关系日益密切。东汉时期，掸国（今缅甸）经常向汉朝赠送珍宝，汉回赠金印、衣冠。应该指出，在中缅两国人民友好交往的道路上，常常留下了西亚诸国或大夏人的足迹。他们浮海东来，横越万顷波涛，航进孟加拉湾，在缅甸登陆，沿着崇山峻岭，进入汉朝益州的永昌郡（今云南保山县东北）。因此，掸国也是中西海上交通的中转站。

当时，汉王朝还与今柬埔寨境内的究不事国、印尼的叶调国、马来半岛上的都元国、今缅甸的夫甘都卢国、邑卢没国等有经济文化交流。究不事国曾经遣使北上，千里迢迢来到中国，赠送生犀等名贵动物；顺帝时，叶调国派使臣携带礼品来到洛阳，汉政府回赠金印、冠带，从而揭开了中印之间经济文化交流的序幕。时至今日，从爪哇和苏门答腊岛上出土的汉代绿釉陶器、黑釉陶器，还静静地躺在印尼雅加达的博物馆里。在马来半岛南端柔佛河沿岸的哥达等地发现汉代的陶片是司空见惯之事。

那时海上交通日见发达，经济文化交流也日见其繁，来往于海上的使节、商旅络绎不绝。据史书记载，当时船舶从合浦或徐闻出发，行五个月可达都元国；又继续航行四个月，抵邑卢没国；再航行二十余日到湛离国；然后弃舟步行十余日到夫甘都卢国；从夫甘都卢再乘船航行，最后抵达黄支国；黄支国之南是已程不国，即今之斯里兰卡。

假如将视线移向两千年前的广阔大海，定会看到一幅壮美的、舟楫无数的画面，汉人的无数风帆迎着阳光，沐着海风，驶向天涯海角；外国的商船正扬帆起航，从四面八方向广州驶来。真可谓盛极一时。

沟通西域的丝绸之路

再没有比这条丝绸之路历史更悠久，承载更丰富、更动人心魄的文化交流之路了。

西汉单于和亲瓦当

　　汉武帝时，天下殷富、财力雄厚、士马强盛，依仗雄厚的经济实力，他们不断开拓疆域，并向西挺进。公元前138年，汉中人张骞奉命通使西域，寻找被匈奴所驱逐而西迁的大月氏人，希望他们返回故地，共同夹击世仇——匈奴贵族。

　　张骞一路风餐露宿，历尽艰辛，经大宛（今乌兹别克斯坦费尔干纳盆地锡尔河上游东面）、康居（今锡尔河下游及其以北的地区），到达大月氏（今阿姆河中部，主要地区在今阿富汗境内）。大月氏人情不自禁地唱着动听的牧歌，欢迎这位坚忍诚信的探险家的到来。尽管大夏肥沃的土地已软化了大月氏人的斗志，不愿返乡复仇、回到刀光剑影的过去，但一条贯穿中亚内地进而联结欧洲及北非的交通干线——"丝绸之路"畅通了。中西经济文化交流的新时代的序幕拉开了，张骞的名字也永远镌刻在这绵延万里的丝绸之路上。

　　张骞载誉归来，轰动朝野，大大刺激了好勇、好利

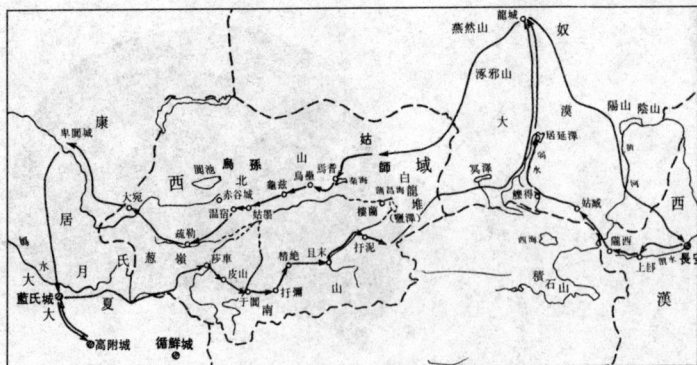

张骞通西域图

的汉人。昔日被认为五谷不生的神仙世界——西域原来是那样奇妙而美丽,不仅有崛起的国家,而且还有可爱的歌舞、甜美的葡萄、无数的金银、健壮的宝马。

　　长期被封闭在黄河流域的狭隘世界之中的汉人恍然大悟,那甘甜的葡萄酒、美丽的驼鸟、高大的汗血马不断刺激着他们的想像力。从此,汉帝国赴中亚各国的使节、商团相望于道。每年多则十几趟,少则也五六趟,每一行大的几百人,小的也百十人,万里不绝。他们携带着精美绝伦的丝绸、漆器,循着张骞的足迹,由长安出发,西出阳关,一路憧憬地走去。

　　当西汉朝的政治使节、商人翻山越岭到达中亚之时,那薄如蝉翼、轻若烟雾的中国丝绸,色彩缤纷的印花织物以及千姿百态的刺绣,像磁铁一样吸引着中亚游牧种族。从安息骑兵队退伍的士卒、大月氏弓箭队中亡命的射手混杂在中亚政治使节的行列中,成群结队地东来,他们骑着

西汉青白玉角形杯

骆驼，前赴后继地奔驰在丝绸之路上。

当此之时，从冰雪皑皑的帕米尔高原纵目俯视，一定会看到一群一群的骆驼商队，满载着沉重的货物，风尘仆仆地行进在东西大道上。他们中有汉王朝的使者，有高鼻深目的各族商贾，有中亚的牧人，有印度的传教士，也有安息响箭队俘获的罗马俘虏。他们操着不同的语言走过浩瀚无边的戈壁滩、渺无人烟的大沙漠，爬过峰峦际天的雪山和冰川，足迹所至，使遥远陌生的东西方文化紧紧相拥在一起。

随着中亚政治使节、商贾的东来，西域的货物云集长安。《汉书·西域传赞》上说："明珠、文甲、通屑、翠羽之珍盈于后宫；蒲梢、龙文、鱼目、汗血之马充于黄门；巨象、狮子、猛犬、大雀之群食于外囿。"真是"殊方异物，四面而至"。京师长安随处可见乱发卷须、高鼻深目的异国客人，来来往往，熙熙攘攘，热闹非凡。

那时，大宛的葡萄、石榴、胡麻，乌孙的黄瓜，奄蔡的貂皮，大月氏的毛织品，异域的杂技、音乐、绘画艺术、风土人情也跟着他们的足迹注入中土。其中，杂技、音乐等艺术最为活跃，首先引起汉人的关注，受到汉帝国

西汉羽人骑天马玉雕

最高统治集团的重视。

公元前108年，占领今日伊朗（即波斯）、建立安息城市国家的阿萨息斯人作为罗马与汉朝的文化交流的中介，曾给汉帝国送来大鸟卵（驼鸟蛋）及罗马幻术家。当这第一批未留下姓名的罗马艺术家踏上"丝国"之土时，汉武帝心花怒放，给予隆重接待。这一年，汉武帝在气势雄伟的长安平乐观召集了许多外国来客，布置了酒池肉林，举行了空前盛大的宴会和赏赐典礼，长安三百里以内的百姓都前来观赏。

那是一次宴会，更是一次东西方杂技的联合会演。中国杂技艺人表演了精彩的"扛鼎""戏车""摔跤"等百戏，妖媚多姿的女艺人表演了"巴俞舞"等乐舞，罗马艺术家演出了壮观的"鱼龙曼衍""海中砀极""吞刀吐火""自缚自解"等幻术。缅甸、印度的艺术家分别表演了惊险的"都卢寻潼""水人弄蛇"。于是中外乐舞推陈出新，蔚为异彩。

汉代彩绘陶壶

　　这次盛大演出是中西经济、文化交流的新起点。从此，西域的文化不断东传。

　　那时中亚、西亚的"狐腋裘"已摆在西汉各城市琳琅满目的商品之中，西域的毛织品已进入汉人的家庭生活中。异域的音乐也被艺术家吸收，大音乐家李延年融和中西，创造出新的乐曲，博得汉武帝和贵族们的喝彩。西方传入的幻术经过汉朝无数艺术家的改造、加工，变为民族艺术，更是大放异彩，风行一时。自此，杂技艺术便成为达官显贵、巨商大贾、地方豪强生活中不可缺少的娱乐项目。他们不仅生前爱好乐舞百戏，死后仍在墓葬里刻下了一幅幅欣赏乐舞百戏的生动场面，以继生时之乐。

　　显然，经过这次空前的文化艺术大交流，使汉文化艺术吸收了异域文化的养分，且以此为起点进入了一个极其光辉灿烂的时代，并以它那独特的民族文化艺术翘立于世界文化艺术之林，与西方的罗马文化并驾齐驱。值得一提

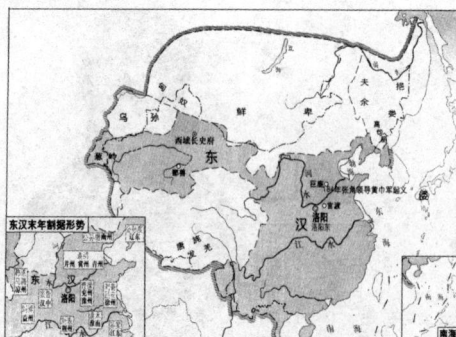

东汉时期疆域图

的是，西汉末年印度佛教的传入也是取道丝绸之路，因此
日本史学家称丝绸之路是"求道、传道之路"。自从佛教
传入内地，僧侣东来，在华宣传教义、翻译佛教经典，佛
教文化和中亚的风俗习惯、日用器物相伴而来，对汉王朝
中的贵族阶层的生活起了很大的影响。

随着佛教的东来和佛经的翻译，印度的文学、音韵、
音乐、舞蹈、杂技、绘画、雕塑以及医学、天文等知识也
同时注入中土，为汉代文化提供了新的借鉴。佛经中的神

西汉天马葡萄纹镜

怪故事与社会上流行的神仙传说相互渗透、互相融和孕育出了六朝的志怪小说；演说佛经故事的俗文、变文里面有长行和偈语，经过长期的咏唱，后来发展成为弹词评话。梵文的发音和拼法的传入，对学者创造出汉语"切音"也有启迪作用；而佛教中"浮屠"（即"佛"）、"桑门"（即"和尚"）、"伊蒲塞"（即"居士"）等词汇在东汉初已登堂入室，出现于汉明帝的诏令中。汉语在汉代与印度及古代西南亚的语言文字结下了亲密的姻缘，至于绘画、雕塑，在汉代已经开始出现佛塔的建筑、佛像的雕饰。四川乐山麻浩堂梁上的佛像、江苏连云港孔望山汉代摩崖造像、四川彭山崖汉墓中的陶佛座，都是佛法东来落地生根的明证。

东汉时期，汉王朝依然是威震四邻、声名远播，与西域各国的经济文化交流，无论在大陆或在海洋，较之西汉时期，都大有发展。此时，在西方的罗马帝国已在地中海两岸掀起巨大的浪潮，他们的骑兵队正在开拓帝国疆域，成为横跨欧、亚、非三大洲的大帝国。尽管这时两大强国还没有直接交往，但各自都流传着对方许多生动有趣的风土人情方面的故事。光彩夺目的丝绸衣服、举止温厚的"赛里斯"人，早已闻名地中海两岸。雄心勃勃的罗马皇帝也急欲与汉帝国交往，打开神秘东方的大门，当这一信息辗转万里传入中国时，中国史家怀着激动的心情记录下了这一闪光的消息，范晔在《后汉书·西域列传》记曰：

西汉错金银云文铜犀灯

"其（大案）王常欲通使于汉"。这一条信息至今仍为治中西文化史的学者所珍视。

后来，班超投笔从戎，效法张骞、立功异域。其副使甘英于和帝永元九年（97），曾兴致勃勃地出使罗马，足迹抵达条支，远至波斯湾头，最终壮志未酬，只好怅然而回。但是，中国与中亚或更远的地区的经济文化交流更为频繁了。

东汉时的丝绸之路显得格外繁忙，行进在这条大道上的不只是风尘仆仆的商队，也有立志传经布道的神职人员，还有不绝如缕的各国使节。汉代的将军、校尉、士兵，甚至一些封疆大吏的属官、诗人墨客的奴仆也西行为主人广求奇物。

中西交通的顺畅带来了商业的繁荣，同时也给商贾带来了财通四海、利达三江的黄金岁月，从而为文化交流奠定了基础，使中西文化交流势不可挡。

公元121年元旦佳节，罗马艺术家再度踏上中国国土，在京都洛阳献艺，他们表演了"吐火""自肢解""易牛马头""跳十二丸"等幻术节目，博得了汉安帝君臣的一片喝彩，一时轰动朝野。四十余年后，罗马皇帝安多尼·庇护（中国正史称安敦）遣使经过几个春秋的长途跋涉，于公元166年由海道经越南来到洛阳，献上象牙、犀角等名贵特产，东汉与罗马之间终于开始了直接的经济文化交流。当崇尚奢华的罗马元老贵族们穿着中国的紫色丝绸出入于大剧场或斗兽场的时候，罗马的"夜光璧""明月珠""琉璃""玻璃"等也陈列于洛阳的商铺中，并成为中国美丽如花的少女头上的装饰品，或者风流才子送给情人的珍贵礼物。

桓灵之际，中国又一次掀起了对外文化交流的高潮。由于桓帝和灵帝的大力提倡，胡风在中国大为流行。两位皇帝不遗余力地引进波斯风格的歌舞、美术和生活用品，宣扬西域风尚。当时化装歌舞、假面戏剧、角力竞技、马戏斗兽、魔术变幻成为洛阳和许多大城市中大受欢迎的节目。汉灵帝刘宏尤其喜欢来自西域的胡服、胡帐、胡床（折叠椅）、胡坐（靠椅）、胡饭、胡笛、胡舞等，引得洛阳的王公贵族们纷纷仿效，来自域外的乐舞、服饰、家具、饮食盛行一时。

上行而下效，汉代的艺术家们借助中国古代历史传说、神话所提供的多彩多姿的艺术形象，又吸收了西方文化艺术的营养，获得创作的灵感，以流动的线条构成新的画风，从而摆脱了呆板、枯燥乏味的图案式的束缚，创造出了一系列让人耳目一新的艺术作品，其中常为人忽视而颇具特色的就是女娲氏在汉画中形象的变化。

女蜗氏是中国神话中的一位创造之神，是人类的始祖，也是汉代人的尸体保护神，因此在汉画中经常出现。在马王堆出土的帛画、南阳石刻画像、沂南古墓画像中，她都是"人首蛇身"或人首蛇身交叠像。可是山东嘉祥的画像（147年，即汉桓帝建和元年石刻），女娲变成了有翼的人首蛇身交叠像，似乎腾云驾雾，在翩翩起舞。画面上还有一位贵神，驾云车，乘以带翼的鱼、龙、鸟、马或天神，飘然欲飞、姿态活泼、栩栩如生。这些画像，一望便知不是中国古典艺术的传统，而是希腊、罗马艺术在中国的变体。

罗马艺术家的多次东来，给汉人留下了难忘的印象，因此成为汉代艺术家的绘画内容之一，而出现在石刻的画面上。山东嘉祥出土有一画像石，画面上共四人，最右一人蹲在地上，口中吐火，当中二人，一人直立，右手持一绳，一人屈于地上，两人左手相握在一起，最左边的一人作回顾状。这是一个扣人心弦的幻术节目，无名的美术家以朴实的笔调、忠实的描写，展现在一千八九百年后的观众面前。当我们欣赏这幅珍贵的画像石时，自然就会发现画面上前三人头戴毛织物的帽子，紧身的衣裤，其衣着与中国传统的长袖、宽衣、高冠的服饰不尽相同，而且那幅画的风格与古希腊、埃及的石刻风格极为相似，这说明表演者并非汉人，而是西方人。山东在东汉时并非交通要道，而能出现这样一幅画，更证明当时表演吐火技艺的罗马艺人足迹已遍布中原了。

此外异域的天马、灵犀、狮子、缚虎、比翼双头鸟等也摄入了汉代艺术家的笔下，而出现在汉瓦图案上。尤其是传世代表作，即四川雅安县发现的益州太守高颐墓前的立体双翼石狮子，从内容到形式，都明显地反映出汉代艺术受西域艺术风格的影响。

地处中西文化交流通道的新疆一些地方受西域文化影响更大。今和田地区的尼雅遗址出土了大量汉代文物，便是有力的证明。这里曾经发现了东汉在西域的几个官署，这些当年白杨、红柳掩映的官署中，充满了浓厚的异国情调。官署里有美丽的葡萄园、华丽的土耳其斯坦式的大客厅，大客厅里铺着织有细微几何图案的地毯，堆放着用古中亚文字写的木简。在官吏或商贾的私人住宅里也深深地印上了西方文化的烙印。他们的生活用具中有刻着希腊美术风格的木椅、饰以西式地毯图案的拖鞋等等。因此英国著名学者李约瑟在《中国科学技术史》一书中认为："在这个时期，和田地区成为印度、波斯、希腊和中国四方文化的荟萃点。"

帝国建筑——壮丽以重威

作为中华民族第一个统一的时代，秦汉时期的建筑充分体现了宏伟的帝国气势，这主要体现在都城风貌、宫殿园林和陵墓造型上。

都城风貌——威武壮丽

建筑是一个时代精神风貌的物化体现，在秦汉时代，气势恢宏的都城作为统治重心，无疑是这一时期统一气势的最直接体现。

秦都咸阳是春秋以来建筑风格的集萃，也是"高台榭，美宫室"的都城建设风格。秦咸阳的建筑都修在高大的夯土台基上，装饰得富丽堂皇，充分反映了天下初统的壮美气势。

秦的都城是由西往东逐渐迁移的，咸阳是最后的选择。中国古代对都城的选址是十分讲究的，早在先秦时，对都城的选址已要求较高。《管子·乘马》云："凡立国都，非于大山之下，必于广川之上。高毋近旱而水用足，下毋近水而沟防省。因天材，就地利，故城郭不必中规矩，道路不必中准绳。"《管子·度地》也云："圣人之处国者，必于不倾之地。而择地形之肥饶者，乡山左右，经水若泽。"咸阳始建于战国中期秦孝公时，以其优越的地理和经济优势一直是秦的都城，直到秦灭亡，时间长达一百四十四年。无论是秦立都的选择还是都城建设本身，都为以后各个封建王朝提供了思路和原型。正如柳宗元在《封建论》中所指出的："秦制之得，亦以明矣。继汉而帝者，虽百代可知也。"

咸阳城的规模在始皇时候得到空前扩大，由秦孝公时的渭北地区发展到了"渭水贯都，以象天汉，横桥南渡，以法牵牛"的规模。除了渭河北的咸阳宫、冀阙、仿六国宫室、兰池宫、望夷宫外，还有渭河南的甘泉宫、章台、信宫、诸庙及上林苑、阿房宫等，这一宫苑结合的范式对后代影响很大。好大喜功的秦始皇想着把都城的规模无限制地扩大，以至于把都城的规划建设和天联系起来，咸阳宫"因北陵营建，端门四达，以则紫宫"。紫宫即"紫微宫"，是天帝所居之宫。"自阿房渡渭，属之咸阳，以象天极，阁道绝汉抵营室也……已而更名信宫为极庙，象天极。"天极即北极，是天帝所属星宿。横过天河的六星为阁道，通过天河的一个星叫"营室"，其意为阿房宫像天帝所居的营室，天帝从天极出来，经过阁道，横渡天河而达于营室、紫宫，皇帝如天帝降临人间以统治万民。总体建筑布局是以渭河为纬向轴线，以咸阳宫为经向轴线，以两线交点横桥为中心向四周散布，形成了以咸阳宫和阿房宫为中心的都城区及向外扩展的京畿地区。形成"东西八百里，南北四百里，离宫别馆，相望联属。木衣绨绣，土被朱紫。宫人不移，乐不改悬。穷年忘归，犹不能遍"的大都城区。

咸阳的修建采用了当时最先进的建筑材料，选用了最优秀的工匠及设计师，因而其都城建筑水平也达到了极点。唐代诗人李商隐在《咸阳宫》一诗中云："咸阳宫阙郁嵯峨，六国楼台艳绚罗。自是当时天帝醉，不关秦地有山河。"可惜项羽入关后一把火，把美丽的都城付之一炬。从目前考古发掘的秦都咸阳一号建筑遗址，即咸阳宫的主体殿堂来看，采用"四阿重屋"的方式，室内外装修华丽、富贵典雅，所用建筑材料都十分考究。地面处理得光滑平整，并以大型花纹空心砖及花纹图案瓦当做装饰，风格富丽铺张。除主体宫室外，还有宽敞的厅堂和宽阔的大露台，由此可以居高临下，高屋建瓴，近可俯瞰全城，远可眺望渭河。

咸阳的规划也十分合理，手工业作坊区位于渭河北咸阳的西南；陵墓位于咸阳的西北方；宗庙在渭河南，有极庙、昭庙等七庙。咸阳的"市"遗址还没有发现，但文献中关于咸阳"市"的记载不只一处。张若治成都时，曾"置盐铁市宫，并长丞，修整里闾，市张列肆，与咸阳同制"，由此可以推测出咸阳"市"的情况。都城中的地下排水管道遍及城内外，管道网络设计周到、合理，在咸阳旧址考古时发现地下排水管道二十九处。

咸阳作为全国的大都会，人口约在七八十万以上，除贵族官吏外，四方商旅、技艺工匠也在此云集。人口分布按照"仕者宫，不仕与耕者近门，工贾近市"的原则。成了全国政治、经济、文化、交通中心的咸阳，其壮丽繁华的景象达到了空前的程度，无怪乎来此服役、还是小民的刘邦见到都城的宏伟和秦始皇的威仪后，不禁发出"大丈夫当如此"的感叹。

高祖建汉以后，经过一番热烈的讨论和争执，汉高祖最后把都城建在长安，长安原来只是秦咸阳附近的一个小村子而已，但是其处渭南的地理环境要比咸阳更加优越。长安城修建大致经历了汉高祖、汉惠帝、汉武帝几代才颇具规模，城内宫殿鳞次栉比，金碧辉煌。宫殿分布在城的南部和中部，其面积约占全城的二分之一以上。高祖时将秦代的离宫兴乐宫改建为长乐宫；又在长乐宫的西面建未

彩绘铜雁鱼灯

央宫；在长乐、未央两宫之间建武库。汉惠帝时筑城墙，并建东市和西市。汉武帝时在长乐宫的北面建明光宫，未央宫的北面建桂宫、修北宫；并在西面城外建建章宫等。修完的都城平面形状为不规则的正方形，缺西北角，俗称"城南为南斗形，北为北斗形"，或称汉长安城为斗城。

据史书记载，长安城有"八街九陌"，即华阳街、章台街、藁街、香室街、夕阳街、尚冠街、炽盛街、太常街，分别通向覆盎门、西文门、章城门以外的八个门，八条街道纵横交叉、长度不等，多数为三千米左右，最长的有五千五百米。大街的宽度约四十五米，街道宽敞平坦，街两边植槐、杨、柏等树木。

长安城中的纵横街道把城分割成大小不等的住宅区，各住宅区又有许多里巷。据记载，城中有里巷计一百六十处，"室居栉比，门巷修直"。长安城内由于宫殿占的面积较大，又都位于中部和南部，所以一般居民包括官吏在内的住宅区，均在城的北部和东北部，靠近宣平门附近，也有住在城外靠城门附近的地方。西北部主要是官府手工业作坊。城内人口，在汉平帝元始二年（2）有户八万八百，人口二十四万六千二百，这还不算皇族、士兵及流动人口。班固对长安城有具体的描述："披三条之广路，立十二之通门。内则街衢洞达，闾阎且千，九市开场，货别隧分，人不得顾，车不得旋，阗城溢郭，旁流百廛，红尘四合，烟云相连。"

长安不仅是全国的政治重心、商业中心、文化中心，也是西汉对外开放的政治、经济和文化中心，尤其是汉武帝的时候，张骞成功出使西域使得长安成为对外交流的窗口。

东汉的都城洛阳，经过二十多年的修建也以宏伟壮观的姿态出现了。汉光武帝年间修太庙，建社稷、明堂、灵台和辟雍，修南宫殿，建起了雄伟的城墙和城门，以后诸帝又不断修整，使得南北两宫形成的轴线贯通了全城，这种建筑布局，显然发展了以宫城为主体的规划思想。东汉洛阳城的规模，据西晋皇甫谧《帝王世纪》说，"城东西六里十一步，南北九里一百步"。城周挖有护城河——阳渠。十二个城门外部耸立巍峨的双阙，相传，当时在四十五里外的偃师县城就能望见京城的朱雀阁。城内有二十四条大街，街的两侧种植栗、漆、梓、桐四种行道树，还有排水渠道设施。城内南北二宫富丽堂皇，加上大量成熟的高层木结构建筑，辉煌绮丽、雄伟壮观。班固《两都赋》描写东都洛阳曰："增周旧，修洛邑。扇巍巍，显翼翼。光汉京于诸夏，总八方而为之极。是以皇城之内，宫室光明，阅庭神丽。奢不可喻，俭不能侈。外则因原野以作苑，填流泉而为沼。发苹藻以潜鱼，半圃草以毓兽。"

宫苑园林——巨丽堂皇

从春秋战国时代开始，追求舒适、美观的宫廷建筑便

西汉长信宫灯

成为了一时的风尚。这股热潮也波及到了秦国，秦国从秦穆公时代已开始在都城雍（今陕西凤翔县南）大修宫室，连匈奴人由余也不禁赞叹是"使鬼劳神"之作。然而这还仅仅是开端，到了秦惠文王的时候，大规模的工程修建才正式拉开帷幕，到秦始皇时达到了顶峰。这位叱咤称雄的帝王对建筑有着天生的爱好，即使在雄并六国、马踏燕齐的时候，仍然忘不了把战败国的能工巧匠连同其建筑艺术一起收拢到秦国。

秦始皇时期在古代建筑史上占据了辉煌的一页，以至于稍懂历史的人都会很自然地把秦始皇与阿房宫联系在一起。能代表这一时期的宫苑建筑特色的当然非阿房宫莫属，尽管这精美的一切早已化为灰烬，但毕竟是从惠文王就开始不断精修而成的宫殿，"东西五百步，南北五十丈，上可以坐万人，下可建五丈旗。周驰为阁道，自殿下直抵南山，表南山之颠以为阙……"这就是司马迁在《史记·秦始皇本纪》中的记载，足见其辉煌壮阔。秦始皇还铸十二铜人立于宫前，这是目前所知的以铜饰殿的最早尝试。阿房宫依南山为基，夯筑土台，层累而上，有效利用了自然地形，匠心独用；廊庑相接，池林间杂的建筑风格也一直为后代所效仿，也许唐代著名诗人杜牧的《阿房宫赋》更生动形象："蜀山兀，阿房出，覆压三百余里，隔离天日。骊山北构而西折，直走咸阳。二川溶溶，流入宫墙，五步一楼，十步一阁，廊腰缦回，檐牙高啄，各抱地势、钩心斗角……"。

汉高祖刘邦起于草野，却有着一样的嗜美情趣。"先入关者王之"的口号显露了他想要享乐阿房宫的图谋，最终项羽的一把火让他美梦成空。然而就算天下疲惫，天子总要显显威风，于是在萧何的操办下，刘邦虽然假以"天下匈匈"的指责，一座新的更壮大的"阿房宫"即"未央宫"还是建起来了。"非壮丽无以重威"，没有比这更好的理由了。

鎏金铜铺首

据《三辅黄图》记载："未央宫周围二十八里，前殿东西五十丈，深十五丈，高三十五丈……"足见其规模之巨。其他宫室也是千门万户，十分雄伟壮丽，如封禅的副产物——建章宫和修葺一新的秦代三百离宫。当时的长安城内，想必到处都是金碧辉煌的宫殿了。少年才俊的王延寿观灵光殿都有"周行数里，仰不见日"的慨叹，何况富丽堂皇的都城宫殿呢。正如班固《西都赋》所说："前乘秦岭，后越九峻，东薄河、华，西涉岐、雍，宫馆所历，百有余区。"昔日"五步一楼，十步一阁"的阿房宫式的建筑群重现长安了，正是"周庐千列，微道绮错，辇路经营，修除飞阁"。

东汉定都洛阳，一批新的大规模的宫殿又建了起来。汉明帝时，在扩建修复其他建筑的同时，建成了汉代最大规模的宫殿——德阳宫。据《后汉书·礼仪志》记载，汉"德阳殿周旋容万人，陛高二丈，皆文石作坛，激沼水于殿下，画屋朱梁，玉阶金柱，刻镂作宫掖之好，厕厕以青翡翠，一柱三带，韬以赤缇。偃师去宫四十三里，望朱雀玉阙，德阳其上郁律与天达"。值得注意的是，东汉时的宫殿建筑和秦、西汉有了明显区别，秦和西汉都是典型的高台建筑，依山而建，而且需要夯筑土台；而洛阳由于地处平原，失去了依山的优势，又很难大规模地夯筑土台，所以智慧的工匠们才用了成组斗拱的抬梁式木构架结构，并大量地采用了砖石，以这种方式建成的德阳宫气势不下于阿房、未央两宫。

雕廊画柱，斗拱飞檐，正是秦汉土木建筑的特色。就连阿房宫也还仅仅是作秦宫的前殿而已，秦汉时代整个高低绵延、阁道相接的帝宫建筑群是何等的壮阔辉煌，何况这气象万千的宫殿还与数目众多的别园林苑交错包容在一起。

上林苑可以说是秦汉林苑的佼佼者了，西汉时它周围广三百里，有雄伟离宫七十座，最高的达到三十丈，苑内最大的昆明湖周四十里，竟然可以训练水军。

陵墓造型——高若山陵

秦汉时代的帝王陵墓建筑更体现了雄厚壮美的气象。那高若山陵的墓地虽经千年却依然巍峨，历经风雨反而使它们多了些许沧桑和浑厚。凝结着百姓血汗的如山土丘埋

西汉金怪兽

秦始皇陵外景

葬了帝王渴望永生的躯体，同时奏响了气吞山河的磅礴韵律。时至今日，它的波澜壮阔依然感染着用心去倾听的人们。

秦始皇的名字是与许许多多的第一次联系在一起的，他扫荡六国建立了中国历史上的第一个统一国家，他征集万众修建了巍峨秀丽的生活宫殿阿房宫，他不遗余力为自己修建了如生时豪华壮阔的墓地，在他近五十岁的生涯中，有三十七年是在对修陵进程的牵挂中度过的。终于，他建起了这座中国历史上规模最大、最雄伟、最豪华、最神秘的墓室来显示他的尊荣和权威。他继承并发展了战国以来的厚葬风习，使其山陵墓葬的规模和格局成为以后帝王陵墓的蓝本。

秦始皇的墓地建在先王陵墓区内风水极佳的骊山，这里温泉处处、水脉纵横，还盛产玉石和黄金，所以民间一直有秦始皇葬在"头枕金，脚登银"的风水宝地的说法。

现今的秦始皇陵遗址在陕西临潼县西南，陵南面对着山势崇峻的骊山主峰，背面对着苍茫广阔的渭河平原，气势万千；陵园范围广大，据探测有五十六七平方公里；在高大的封土外围，有用夯土筑起的内外两重城墙，呈南北向的长方形。内城中部还有一条东西向的隔墙，将内城分为南北两部分，南部是陵墓的坟丘，北部正中又有一条夹墙，将北部分为东、西两个区域；外城的四面各有一门，内城的东、西、南三面也各有一门。外城的四角还有警卫的角楼。

秦始皇陵墓的坟丘位于陵园内的西南角，这是由于古代礼仪把西南角作为尊长之处的缘故。坟丘是用一层层的夯土夯筑而成的，在坟丘四周的断面上，仍可以清楚地看到上下叠压的夯土层，每层厚二十至七十厘米，土质基本纯黄，并杂有棕红色土和少量砂石。夯土土质密实，可以减缓封土受雨水侵蚀而流失；现存坟丘的底部近方形，周

西汉茂陵

汉代金缕玉衣

长一千三百九十米，占地面积约十二万平方米。显然经过
两千多年来的雨水冲刷，以及当地农民平整土地的切削，
现今的遗存已比原来大大缩小了；从古代历史文献来看，
当时记载的很多不同的数据中，应以《汉书》中的记载较
为可靠。据《汉书》记载，秦始皇陵高五十余丈，周长五
里多。汉代时，一丈和一里折合为今天的米，大约分别
为两米多和四百三十三米。以此可以推知当时坟丘高度为
一百一十五米，坟丘底部周长为两千一百六十五米，足见
规模之巨。

高高的坟丘下面便是神秘莫测的地宫。考古钻探的结
果表明，地宫的平面近似方形，面积约为十八万平方米，
比现存坟丘的底面积约大三分之一。地宫是陵墓建筑的核
心部分，是放置棺椁和随葬器物的地方。地宫建设的宏大
如《汉书》所述："穿三泉，下铜而致椁，宫观百官奇器
珍怪徙藏满之，令匠做机弩矢，有所穿近者辄射之。以水
银为百川江河大海，机相灌输。上具天文，下具地理，以
人鱼膏为烛，度不灭者久之。"

坟丘北面还有秦始皇陵的寝殿建筑，建筑极为宏伟富

丽。陵园中还有苑囿和厩苑等建筑，目前已经考古发现了珍兽坑、马厩坑等陪葬坑，可见这规模庞大的陵墓就是一座富丽堂皇的地下宫殿，它仍然可以满足死者生前的一切奢望和继续一统的梦想。

汉代沿袭了秦代浩大的陵寝遗风，在西汉诸陵中，除了文帝霸陵"依山为陵"外，其他十个帝陵都呈覆斗形，用夯土建筑。其中武帝茂陵规模最大，陵园东西长四百三十米，南北宽四百一十四米，位于陵园中央的坟丘底边长二百三十米、高四十六米，坟外四面筑墙，墙厚约六米，每面墙的正中也开设高广的门道，宏伟壮丽。陵墓附近还有李夫人、卫青、霍去病等的陪葬墓群。

东汉共十二个帝陵，因为迁都洛阳，除了献帝禅陵在河内郡山阳外，其他十一个帝陵，或在洛阳故城的东南，或在洛阳故城的西北，实际情况还有待于进一步考古勘探。

翻开中国古代陵墓文化史，墓葬规模最大最令人震撼的莫过于秦汉时代。盛唐初年的陵墓规模虽然比一般朝代帝王的规模要大，但与秦汉时代比起来，在气势上还是略逊一筹。秦始皇陵、武帝茂陵这样壮阔的山陵建筑，体现的正是皇权的至高无上和帝国一统的声威。

乐舞百戏——刚健优雅

翻开秦汉时代的典籍，人们总会被某种深阔宏大的韵律打动，它牵动人们的思绪跌落起伏在秦汉时代的某一个早晨或黄昏、某一个大雨滂沱或细雪轻舞的日子，无论是易水之滨整装待发的壮士，还是汉宫华灯下轻舞飞扬的舞女，都在动情地或歌或舞，为孱弱的生命或是美好的生活。对歌舞的热爱和追求激发了秦汉人的生活热情，在这个气象万千、追求一统的时代，尽管有来自异域的粗野的威胁，但秦汉人活得依然自信、健康，如史所述，这是盛世歌舞的时代。

雅乐与俗乐

雅与俗在艺术上的区分是如此古老，甚至早在周朝，音乐就已经有了严格的区分，当然它最初是成长在阶级的土壤中的。那时候"乐"的含义比较宽泛，它包含乐曲、歌诗、舞蹈等多种内容。雅乐一般就指宫廷音乐，而民间音乐就只能是俗乐了。后来随着时间的推移，最初的音乐就成为人渐不识的古乐，如同古礼一样受到异常的敬重而成为雅乐，战国时期就是如此；人们把雅乐作为正统音乐在祭祀天地、拜祭祖先、王者朝会、国宴庆典的时候享用。它们被严格地按照礼制进行。不同等级、不同场合和不同背景等细小却严格的规制渐渐窒息了雅乐的艺术生命，它渐渐流于形式，走向了僵化，最后，秦始皇的愤怒之火和新汉皇的悦俗之心，使它最终淡出了人们的视听，尽管还有一息尚存。

秦代皇帝虽然对雅乐兴致不高，却依然要依礼制的规范让雅乐保持特权的空间。汉高祖收容了秦代宫廷的乐师舞女，却很少有人懂得古乐的真正内涵了，于是，以叔孙通为首的一群儒生为刘邦采古礼、杂秦仪，炒作了一部新的雅乐。当大气雍容的钟磬声在壮阔的汉宫浑然响起，当舞人们整齐划一地或执干戚或顿足而舞，当大臣们随着节奏适时跪拜的时候，杂民而贵的汉高祖才真正意识到了做皇帝的尊严。他虽爱俗乐，但从政治需要这点看，他更离不开雅乐。汉初还经常在正月上旬的某日，在甘泉宫祭祀北极太一星，由七十一名童男童女演唱，按照四季的推演各有不同的歌词。

对俗乐的喜好是周亡以来的普遍趋势，这一方面是古乐礼制的崩溃造成的，也是时人对古乐的一个反动。无论是狭义上的"乐"还是"乐舞"，俗乐都显示了对雅乐的优势和人气。这时的俗乐指当时流行的世俗音乐，即一种以"郑卫之声""楚声楚舞"为代表的新兴歌舞，它们感情色彩浓郁，直抒胸臆，极富感染力。这种民间曲调兴起于春秋，盛于战国，齐宣王即使面对孟子，还是毫不客气地说："寡人非能好先王之乐，只好世俗之乐耳。"显然，当时民间音乐即将登上宫廷音乐的大雅之堂，而在此之前，它一度背负着"淫声"和"野趣"的恶名。

秦代皇帝对俗乐是偏爱有加的，这大概要首先与秦地音乐的贫乏和单调有关。击瓮叩缶的秦声怎能比得上随俗雅化的异域之乐呢，于是始皇将各地乐舞引入秦都，正如李斯《谏逐客书》所书："今弃击瓮叩缶而就郑卫，退弹筝而取韶虞，若是者何也？快意当前，适观而已矣。"秦二世也曾在甘泉宫举行全国的歌舞杂技会演，君主的兴趣无疑促进了流行歌舞的进一步发展流传。

在接下来的声势浩大的反秦斗争中，南方的"楚声"追随着激越的战鼓也来到了北方。这种和伟大的诗人屈原的名字紧密联系在一起的韵律，因其浓郁、热烈而从此流行开来。它从民间的角落走出，成为了反秦的奏鸣曲，进而成为了整个新王朝的基调。阴霾的长空中，荆轲易水之滨的歌咏；身陷埋伏的夜晚，霸王兵败别姬的唱叹。哀伤却又如同阵阵卷起的狂飙，越过浑茫的旷野和漫长的历史，扣打着人们的胸膛。高祖刘邦衣锦还乡时面对家乡父老的激昂风歌，刘邦之子赵幽王刘友的"托天报仇"的绝命歌，武帝的《秋风辞》《子之歌》，都是地地道道的楚声，配以飘逸又有力的楚舞，真可谓珠联璧合了。

武帝时，各个国家和地区间的交流更加频繁和广泛，尤其是张骞出使西域以后，边地各民族的特色音乐也传入了中原，并且深得喜爱。更多的西域乐器如箜篌、羌笛、羯鼓等的传入，改变了原来中原地区传统打击乐器和少量弦乐的单调局面。配合异域之器的传入，新的曲调产生了，新的乐舞也产生了。融合的结果是秦汉歌舞在保持了由雅入俗的基调后，在武帝的时候又发生了重要的转折，即从中原音乐的拓展到异域之音的传入并流行，此后整个东汉时期，这一色彩仍然很鲜明。

太乐和乐府

秦代分别设立了太乐和乐府作为负责雅乐和俗乐的机构，汉承秦制，也设立了分为两个系统的乐舞管理机构，即奉常（汉景帝时改为太常）属下的太乐署和少府属下的乐府。前者是国家特设的雅乐管理和演奏机构，负责演奏先秦古乐舞。乐府主要有三个职能，首先是执掌俗乐，这是汉代乐府最主要的职能，即搜集、整理和改编民间乐舞，并进行相应的配乐以适于宫廷演奏；其次是执掌郊庙祭祀和古兵法舞乐，这是汉代由儒生新制作的雅乐，因其带有俗乐的特色所以在哀帝以前，一直由乐府而不是太乐负责。哀帝罢乐府以后，这部分职能就由太乐来承担了。俗乐的演奏方式多种多样，这就要求演奏器具在数量、种类、质量等方面达到一个新的水准。乐府还有一个重要的职能就是兼造乐器，在广州南越王墓中就出土了刻有"文帝九年乐府工造"铭文的铜钲。

武帝的时候，乐府管理机构进一步扩大，名曰"观民

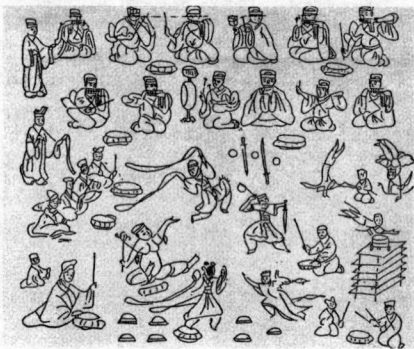

西汉舞乐百戏图

俗""赏闲娱"。这项改革是在公元前112年进行的。他下令对乐府进行了一系列的改组，扩充了搜集和整理民间音乐的人员，将他们专门安置在都城西郊专供皇家游玩的上林苑。这里汇集了一批年轻才俊，他们倜傥风流、才华出众，有歌舞造诣极深的音乐家李延年，有辞赋功底深厚的文学家司马相如等，他们"造为诗赋，略论律吕，以合八音之调作十九章之歌"。到汉成帝的时候，乐府仅乐工就有近千人之多，他们都是各地的富有经验的民间艺人。乐府分工明确，根据不同地域的演奏风格而分工不同，各司所职，学有所专。乐府在这一时期创造出了不朽的业绩。据《汉书·艺文志》记载，汉代共辑乐府诗一百三十八篇，它们多为"街陌巡屈之词"，多直抒胸臆、缘事而发，痛快淋漓地抒发了普通民众的慨叹。这些歌谣的演唱与流行是汉代民间音乐繁荣之花中娇艳的一朵，它对其后千百年间中国音乐的发展产生了深远影响。这些残留的歌谣成为了一种新的诗歌体裁，它们在形式上为诗歌领域带

来了刚健、清新之气，"乐府诗"也从此成为了中国文学
史上的一座丰碑。

由于乐府官署远在上林苑，武帝及后来的元帝和成帝
为了享乐的方便，便顺势召集了一批乐府名倡，在掖庭也
培养了一些女乐；到了哀帝时，由于他个人不喜欢音乐，
更不喜欢他的臣民们终日醉享在乐舞中，便下令罢去乐
府，并裁掉了大批的演奏人员。

东汉依然设立雅乐的管理机构，以在正式的场合观古
礼，只不过在此期间雅乐管理机构的名称变来变去，汉明
帝时将掌管雅乐的太乐官该名为太予乐官，到曹魏明帝时
又改了回来。东汉皇帝们依然在内廷设立黄门鼓吹机构，
满足了享俗宴之需。

健美宏大的乐舞

汉代舞蹈是中国古代舞蹈艺术史上达到的第一个开
拓性的高峰，它融合了民间楚舞、宫廷雅舞、西域胡舞的
多种风格。无论是个人自发式的起舞还是宫廷表演式的歌
舞，都一样的熠熠生辉，一样的健美浑厚。

与歌乐相配合，秦汉时代的舞蹈也相应分为雅舞与
俗舞，尽管前者实际上杂糅了后者的成分。所谓雅舞，
是指配合雅歌乐在正式场合进行的礼制仪式，以和期
会、宴享时使用的正统音乐。其中以六代舞最为著名，
它分为《云门》《咸池》《大韶》等六部乐舞，相传分

西汉鎏金舞人

别创作于黄帝、尧、舜、禹、商、周六个时代。六代舞也称"大舞"，另外周代用来教育贵族子弟的六个"小舞"（"小舞"亦称"六小舞"，包括《舞》《羽舞》《皇舞》《族舞》《干舞》《人舞》），有时也用于祭招。"大舞"和"小舞"依据表演方式还可分为武舞和文舞两类，执干（盾）、戚等兵器的称武舞，其余的称为文舞。

雅舞根据具体的环境演出人数或有变化，但一般演出规模比较大。汉高祖在唱咏《大风歌》的时候，教沛中一百二十名少年唱赞，他亲自击缶为调，又情不自禁地起舞，还撒下几行激情澎湃的眼泪。到汉惠帝的时候，为纪念先帝，便命曾经随高祖伴唱的往日少年从事歌吹音乐，这首《大风歌》也成为了在庙祭时演奏的音乐，由俗众的楚声一跃而成为了新王朝的庙堂雅乐。灵星舞和巴渝舞也由民间舞蹈而入雅。灵星舞是在拜灵星的时候表演的舞蹈，汉高祖曾敕令天下立灵星祠，于是祭祀灵星就成为全国性的行为。灵星也即天田星，又称后稷神。灵星舞大概发源于民间古老的丰收庆舞，由十六名少女演出，舞蹈动作多是民间种田的劳动过程，模拟动作从除草、耕种、耘田、驱雀到收割，无一不全；巴渝舞一开始是在西南地区流行的民间舞蹈，后来传入中原成为宫廷舞蹈，以后又演变为雅乐舞蹈，它是由三十六名披挂戴甲的战士表演的武舞。这些雅乐舞表演的时候队形整齐，舞者动作规范、整体划一，在整齐、统一、协调的律动中，使人感受到群体的力量和美感。

秦汉时代的俗乐舞是多姿多彩、变换万千、富有生命力的，在秦汉的歌舞艺术长廊中，这是最富有生气和最值得流连的部分。著名的俗乐舞除了《乐府诗集》第五十三卷提到的鞞舞、铎舞、巾舞、拂舞，还有长袖舞、盘鼓舞和武舞。它们都是根据舞蹈中依靠的主要道具而得名的。

鞞舞使用的道具是鞞鼓，"如鼓而小，有柄，两耳，持其柄摇之，则旁耳还自击"。这是一种带有手柄的扇形

西汉八人乐舞铜饰物

小鼓。鞞舞起源于民间，比较早就登席宫廷宴饮了，汉章帝曾亲自作《鞞舞曲》五篇，可惜已经失传；鞞舞往往在乐舞中作导引用，在跳这种集体舞时，舞者一边弄鼓击拍，一边轻盈曼舞，舞姿可以随着节奏的不同而变化多姿。鞞舞的主要特点是节奏感强烈，极具感染力；鞞舞曲辞齐全，可歌可舞，实际上是包罗庞杂的杂舞，后来鞞舞渐渐成为宫廷宴享时一种歌颂太平的程式化舞蹈，逐渐失去了原来的轻松活泼的娱乐情趣，到梁朝时，被称为鞞扇舞。

巾舞使用的道具是巾，又称"公莫舞"，一般在歌词首句都有"公莫"两字，它后来与鸿门宴的故事附会在一起，晋时改为巾舞。《晋书·乐志》云："公莫舞，今之巾舞也。相传云，项庄剑舞，项伯以袖隔之，使不得害汉高祖。且语项庄云：'公莫。'古人招呼曰公，言公莫害汉王也。今之用巾，盖像项伯衣袖之遗式。" 然而它是否真的取材于鸿门宴舞剑的故事，一直众说纷纭，但是唐代

乐舞鎏金扣饰

著名诗人李贺据此作《公莫舞歌》并广为流传。巾舞在表演的时候，可持双巾也可持单巾，巾的长度也可长可短，它与长袖舞一样除了展现舞巾的弧度美，还展示身体的线条美和动作的力度美，这在汉代画像砖石中也有反映。

拂舞也是汉代著名的一种杂舞。拂舞类似巾舞，不过用的舞蹈道具不一样而已。所谓"拂"，就是"拂子"，它的特点是有柄可执，一端系以犀尾或麻绳、牦牛尾等物，并以所系物名之，用于"拂秽清暑"。也可以系绸巾，形式多样。迄今汉画像石（砖）所见执拂而舞的图像不多，但从舞人所执的拂来看，柄上所系的巾有长有短。长拂类似今日红绸舞所执，女舞人执长拂而舞，绰约多姿；男舞人执短拂而舞，又姿态雄健豪放。由此也说明拂舞歌诗每篇所配的舞蹈及曲调旋律必定有所差异。

铎舞指舞者持铎而舞。铎是一种类似今天大铃的古老乐器，这种舞蹈一直流传下来，到唐代的时候，铎舞尚存。

长袖舞是靠舞动长袖配以身体的动作尤其是腰部来表现美感的舞蹈，它在秦汉时期尤其是汉代大为盛行。随着楚庄王对细腰的偏好，挨饿求细腰的滑稽之风从宫廷吹到了民间，婀娜如柳的腰肢从此随着骚韵荆歌舞蹈开来，并且赢得了越来越广泛的观众；长袖也早在秦汉之前就很风靡了，在丝绸文明的国度里，柔顺垂滑的丝绸长袖更出尽了风头，修长飘逸的长袖"挥丹凤""带尘芳""曳三街""拂轻寒"，飘转变化，灵动传情。长袖舞具体又可以分为单人独舞、双人对舞、多人群舞等多种形式。舞者也不拘泥于性别，男女舞者的动作都是一样的充满了力量，袖舞舞姿健美有力、刚柔并济。汉代着实出了几位著名的女舞蹈家，卫子夫、李夫人、赵飞燕姐妹都以歌舞而身贵，她们的舞蹈多是长袖舞风格的，赵飞燕在水晶托盘上随风起舞的飘逸身形更是永远定格在了古代乐舞史上；南越王墓出土的越族舞女，右边舞女的舞姿正好突出了两个标准的"S"形，右袖有力地上扬，左袖下摆，配合身体的舞姿完成了这个动作，这是汉代长袖舞的一个标准舞姿。折腰甩袖的动作是多种多样的，可以侧弯、侧甩等，汉高祖戚夫人的"翘袖"折腰舞也是其中之一。配合甩袖的力量进行腿部的跨越腾跳动作，从上到下呼应着画出优美舒展的弧线，舞姿矫健奔放，类似现在艺术体操中的"大跳"。张衡《西京赋》描述长袖舞时形容其"振朱屣于盘撑，奋长袖之飒姿"。近年来考古发现的汉画像砖中常有这一图像，如四川彭县出土的长袖舞画像砖所画四川成都市郊的《宴饮》等。

盘鼓舞也是这一时期颇为流行的舞蹈，表演时要在地上放置数个盘和鼓，舞者身着长袖在盘鼓之上或之间腾挪闪跳，这种舞蹈以使用七盘为多，所以又称七盘舞。它是汉代民间酒会、豪富吏民宴客时广泛表演的助兴乐舞。关于盘鼓舞的起源，已不可考，据推测是由楚国以鼓为主要器乐的祠神乐舞发展演变而来的。值得注意的是，傅毅《舞赋》、边让《章华台赋》咏盘鼓舞时，都托古于楚襄王和楚灵王时期，可能就是对这种渊源关系的暗示。盘鼓舞既体现了长袖舞的优美又展现了腿部的矫健力度，而且与其他舞蹈不同的是，它把杂技的力度感结合得恰到好处，舞者且唱且舞，而且在盘鼓上跳跃要同时保持好身体的平衡和舞姿的变化多端绝非易事，因而更加具有艺术生命力和欣赏价值。七盘舞在汉赋中常常被吟咏，张衡就有《七盘舞赋》，傅毅在《舞赋》中也称其"若俯若仰，若来若往"，边让《章华台赋》云其"舞无常态，鼓无定节"。在现今出土的汉画像砖和画卷上也经常可以看见盘鼓舞者奔放的舞姿，可见当时这种舞蹈是深受喜爱的。从现今考古资料看，盘鼓舞在表演的时候所需盘鼓的数量和摆放位置不尽相同，根据形式需要可以有多种乐器伴奏，表演样式十分灵活。一般汉族的舞蹈是以舞手、舞袖为主，而少数民族的舞蹈则以脚踏旋转见长，盘鼓舞就是汉族舞蹈与少数民族舞蹈相结合而成的新形式，既舞手舞袖，体现腰部的婉转流动；又踩鼓踏盘，富有腿部的刚劲和力度感，正是"搦纤腰而互折""振华足以却蹈""雍容惆怅，不可为象"。

秦汉时代持兵器起舞的武舞也十分流行，其中剑舞最为盛行。剑舞，顾名思义它的舞蹈道具就是长剑。剑舞的流行与秦汉人们的豪放、敢于牺牲的英雄气节是分不开的；剑舞一直是贵族宴会上的重要项目，它风格雄健豪放、潇洒自如。大概至今为止人们印象最深的还是鸿门宴中的项庄舞剑，在表面风平浪静实则惊涛骇浪的筵席上，项庄将凌厉的剑锋指向了刘邦，来提醒欲断还乱的楚霸王。此外，还有许多其他持各种兵器的舞蹈，并有单人舞、队舞、群舞等多种形式。

大型歌舞剧——相和歌与鼓吹乐

相和歌和鼓吹乐是汉代乐舞的两种最高形式。

相和歌是在继承先秦"楚声"的基础上，"丝竹更相和，执节者歌"的最高的综合表演形式。相和歌是土生土长的本地音乐，它最初的形式只是响亮于民间阡陌的"徒歌"而已，也就是"清唱"，有时候也可能有极为简单的伴奏。之后，"徒歌"形式被加上了管弦乐器的伴奏，表演也比以前复杂了，有的还有了多人的"和声"，后来又加上了伴舞，于是形成了集歌、舞、乐为一体的综合表演形式，它也就相应地有了一个响亮的名字"相和歌"或"相和大曲"。相和歌发展到后来又渐渐摆脱了乐和舞的形式，成为了纯粹的乐器合奏形式，称为"但曲"。"相和大曲"和"但曲"是相和歌的高级形式，也是最能体现汉代音乐水平的表演形式。

相和歌表演必需的乐器有笙、筝、笛、琴、瑟、琵琶、节鼓等。演出的时候，不仅场面宏大，而且形成了一套自己的表演节奏和程序。一般来说，"相和大曲"的演奏曲式结构主要包括"艳——曲——乱（趋）"三部分。"艳"是委婉而抒情的序曲或引奏，在正式曲目的前面，一般是器乐演奏，也可以伴唱；"曲"是乐舞的核心即主体部分，可以由数量不同的"段"组成，而且"段"与"段"之间还有称为"解"的过门，通常一个唱段称为"一解"，不同的乐曲可以解数不同；"乱（趋）"是相和歌的结尾，也是高潮部分。"乱"实际体现了最后众声齐奏的浩浩荡荡的宏大场面，而"趋"则是形容激切奔放的舞蹈场面。在具体的创作和演奏过程中，"艳""曲""乱（趋）"三部分不是必须的，可以有不同的组合方式，如传统相和歌《白头吟》就没有"艳"，而《东门行》则只有"曲"。

汉代相和歌的曲目有一部分来自传统的战国楚声，如《阳阿》《采菱》《结风》《激楚》等，但是大部分还是汉代自己创作的作品。据《宋书·乐志》记载，到南宋时还存有汉魏时代的相和大曲共十五首，其中比较著名的有《江南》《东门行》《陌上桑》《广陵散》等，其中《江南》是一首汉代清新的民歌，其歌词是：

　　　江南可采莲，莲叶何田田，鱼戏莲叶间。
　　　鱼戏莲叶东，鱼戏莲叶西。
　　　鱼戏莲叶南，鱼戏莲叶北。

这首歌曲被认为是相和歌的正声，和声的运用体现了汉代劳动人民对休闲生活的热爱和向往，江南水乡的恬静和生趣在各种悠扬的乐声中更令人神往，莲花竞相盛开、鱼儿欢快戏水，这是汉代也是整个古代社会共同向往的恬淡生活。

秦汉是民族融合的时代，这种融合大气的风格也体现在乐舞上。边疆民族的乐器和舞蹈随着民族间的友好往来和交流传入了中原，在张骞出使西域之后，这一趋势得到了明显的加强。由于这些音乐形式活泼、真情流露，为传统的音乐空间注入了新鲜的活力，也为秦汉艺术情趣由雅转俗的潮流和转变增加了一个难以抗拒的理由。于是，异域之音和边疆胡舞顺着时代的节拍踏歌而来，并且欣然为中原人民接纳和吸收。秦汉时期，在音乐领域最能体现这一点的就是鼓吹乐了。

鼓吹乐与相和歌都是汉代乐舞的最高形式，所不同的是鼓吹乐是吸收外来音乐的杰作。它是综合运用鼓、笳、钲、箫、角等乐器进行演奏的乐曲，有时也伴有歌唱。鼓吹乐最初是在秦汉之际受北方游牧民族——北狄鼓吹的影响而创立的，其主要乐器笳、角、横笛等都来自少数民族。角即胡角，最初是用牛角做的，后来改用竹子、木头等；笳，也称"吹鞭"，是匈奴族喜爱的乐器，蔡文姬写有著名的《胡笳十八拍》；横笛是由西域羌族传入的。这些各具特色的少数民族乐器与汉族传统乐器鼓、箫以及汉族民歌相结合，逐渐成为人们普遍喜爱的鼓吹乐。

鼓吹乐在传入中原以后最初是用于军乐，它那磅礴富有穿透力的气势着实起到了振奋军心的作用，汉武帝曾经特别恩准前线将帅和边疆郡首使用鼓吹乐，而内地贵族则不能随便使用鼓吹，只有达到相当资格的将军才可以用做仪仗，以示不同。后来鼓吹乐的应用范围才渐渐扩展开来，根据编制和演奏场合的不同，可以分为"黄门鼓吹""骑吹""横吹"等不同种类。"黄门鼓吹"一般在皇帝宴饮群臣时才使用，肇始于汉武帝，东汉的时候也运用于郊祭和丧葬；"骑吹"一般用于皇帝和贵族的仪仗音乐，因在马上演奏而得名，而一般的鼓吹乐人是乘车的；"横吹"是军营中在马上用以横笛、角、鼓为主的乐器演奏的，并且一直被严格地用做军乐，曲目多与边塞有关。

角抵百戏——丰富多彩

"角抵百戏"是汉代盛行的一种集歌舞、杂技为中心，汇集如幻术、俳优、驯兽等各种表演方式于一体的大型表演，以其大、全、多、杂、险、壮阔等特点成为秦汉独特的表演形式。当秦始皇收兵器、造金人，以"角力"作为首选的练兵项目的时候，这一称为"角抵"的单纯武功杂技就成为一项全国性的运动而得到发扬。秦二世的时候，举行了盛大的"角抵俳优之观"，这时的"角抵"就已经成为多种艺术形式的总称了，只不过随着时间的延续和艺术的发展，它包含的表演形式越来越复杂，技术水平也越来越高超了。汉代各帝都喜好这一表演形式，元封三年（前108），汉武帝曾在长安置"酒池肉林"大会，这是汉代第一次大型的角抵会演，之后每年的春夏都会举行一次。元封六年（前105），为联谊乌孙、匈奴等少数民族，武帝又在长安上林苑平乐馆举行了一次大规模的百戏演出，之后角抵大戏除了在汉元帝时曾一度被罢免外，一直都很兴盛。到东汉的时候，正式有了"百戏"之称。《后汉书·安帝纪》载，延平元年（106）十二月，罢"鱼龙曼延百戏"，这是"百戏"之名的最早记载。

除了乐舞以外，杂技就是百戏艺术体系的中心环节了。

这时的杂技表演，无论从种类上还是从表演难度上来说，都已经很成熟了，而且欣赏层次上至帝王下到草民，十分广泛。比较经典的表演形式有倒立、柔术、筋斗、跳丸弄剑、乌获扛鼎、舞轮、寻橦之技、高缂走索、冲狭、舞轮耍盘、飞剑弄瓶等。其中倒立技艺常夹杂在其他杂技节目中表演，最常见的莫过于糅合在"安息叠案"中了，这是一种在叠案上进行的倒立表演，大概是吸收了安息（古伊朗）传来的某些杂技因素发展而成的。演员在数量不等的案上倒立，最多的达十二案之多，足见其险巧；另外一种就是搀杂在高缅中进行的难度很大的倒立表演。高缅强调的是在绳索上的表演技巧，因其惊险和超难度一直是人气很旺的节目，其中的倒立是在坡度为45度的颤动的绳索上倒立、双手触绳倒走，而且在绳的下方还常常竖有刀剑等利器以增加难度和险度，在没有任何防护措施的情况下进行此项表演，足见当时重心平衡等表演技艺之高超。

汉代的柔术技术主要有反弓和倒契面术。反弓是演技者向后反弓腰背，以手掌和脚掌（反弓衔珠术）据地成弓形，它常常与其他杂技项目一起表演。柔术表演中难度较大的是一种称为倒契面戏的，伎人的头从身后弯曲置于双足之间，用双手握住足胫，整个身体团成圆球。这个节目在汉初被列于乐府，用做招徕胡人的高超杂技艺术。筋斗，确切地说，是指后仰连续翻筋斗的杂技技艺，也是汉代的常见杂技节目，它和倒立一样，常常搀杂在其他高难度的表演之中。

跳丸弄剑属于手技类杂技，是一种熟练而巧妙的用手耍弄、抛接丸、剑等物体的表演，因其所抛器物的不同，难度也有相应的差别。跳丸是将两个以上的圆球用手抛接，分为单手接和双手接。表演时通常用银色的丸子，它在手中不断抛飞，银光闪闪，恍若流星一般，令人目不暇接。弄剑则是抛接手中的两把以上的剑，任其在空中抛飞，不过，接的时候要保证是剑柄着手，这样难度就比跳丸高了。类似技巧的接抛杂技还有耍坛，它是在抛接的过

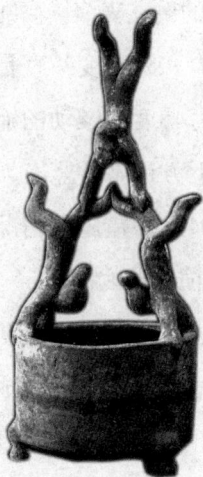

东汉三人倒立杂技陶俑

程中不断用人体的某一部位如腕、臂等转移坛，技巧性很高。汉代还有举重似的乌获抗鼎的表演，然而只有在宫廷里才用正宗的铜鼎表演，民间多用车轮作为器具，于是又产生了舞轮杂技。舞轮是将车轮等物在空中抛接，与跳丸等手技表演不同的是，它还强调了超人的臂力，是力技类杂技。

寻橦之技即长竿技术。"橦"指长竿，它一端置于固定或移动的支点上，伎人以各种技巧动作上竿进行表演，这一长竿杂技在汉代十分流行。汉代所用的长橦，有"T""十""I"形三种，前两种较常见，立橦方式也有固定式、移动式、"戏车高橦"等多种形式，难度也是逐渐加大。固定式是在长橦上做各种技巧动作；移动式则把橦立在一个人肩头或额头上，顺势移动，在橦上有伎人作表演。在所有的动作中，"戏车高橦"是难度和技巧性最大的。戏车指用来表演马戏的马车，这在西汉时就已经有了，把长橦固定在移动的马车上，双车双橦联索。

除杂技外，幻术、俳优、驯兽等也是百戏的重要项目。

汉代是我国古代幻术大发展的时期，尤其是武帝时期，从西域和国外传来了许多新的幻术节目，其中自肢解、易牛马头、自缚自解、吐火等就是从外国传入的著名幻术。汉代幻术的主要表演有鱼龙曼延、易貌分形、吞刀吐火、画地成川等，据《西京赋》记载，鱼龙曼延的表演是这样的：先是一巨兽登场，背后出现崔巍的神山，山上有熊虎搏持、猿狖追逐攀登，还有怪兽、大雀、白象等；接着从东方来了一条大鱼，很快又幻作一条游龙；接着又出来了一个能吐黄金的"含利"瑞兽，突然之间又变幻成由四鹿并驾、以灵芝为车盖、具有九葩之彩的仙卒；随后又出现了蟾蜍和龟，还有水人弄蛇等技艺的表演。以上的种种变幻都是在刹那之间完成的，可以想见是怎样地令人瞠目结舌。畜兽和驯兽在秦汉时代也很流行，无论是宫廷还是贵族，都喜欢豢养牲畜，驯兽技术的表演也很受欢迎，那时马戏、象戏等的表演就是在此基础上进行的。

体育世界——活泼多姿

秦汉时的体育活动虽然没有太多令人满意的历史

记录，但它和绘画、音乐、舞蹈一样是古代文化宝库中珍贵、活泼的一页。秦汉体育运动内容已经很丰富了，蹴鞠、六博、击剑、射箭、投壶、角抵、围棋等都流行起来。

蹴鞠，是古代著名的球类运动，秦汉时代就已经流行起来了。"蹴"，就是用足踢、踩的意思；"鞠"是指皮球。蹴鞠确切的起源于何时，已经不可考，但至少在战国时候，它已经在齐国流行了。据《史记》记载，齐都临淄"其民无不吹竽、鼓琴、击筑、弹琴、斗鸡、走犬、六博、蹴鞠"。但是在秦朝，蹴鞠却变得悄无声息了，直到汉朝初年，才首先在军事训练中兴盛开来。西汉名将霍去病在边塞抗拒匈奴的时候，就常常组织士兵进行蹴鞠，达到军事训练和鼓舞士气的双重目的。汉代的宫廷贵族对这一运动也是乐此不疲，那时各郡国的蹴鞠名将都荟萃于长安，供皇帝和朝臣们观赏。贵族所向也带动了民间的蹴鞠风潮，于是，在"圆鞠方墙"内、在区分阴阳的场地中，蹴鞠健儿们熟练敏捷地努力将熟皮制成的皮球射入对方的球门，那时就已经有了克尽职守的守门员和"端心平意"的裁判。可见，当时的蹴鞠比赛已经有了完备的体制。

秦汉时击剑之风十分盛行，这与秦汉时人们尚武的精神气质是分不开的，从而使击剑逐渐成了体育运动的形式、有了竞赛，于是《盐铁论·箴石篇》中说"剑客论，盛色而相苏"，这可以从汉画像石中得到印证。汉代击剑之术大约可分为两大类，一类是适应军事需要而发展的击剑术，一类则是适应比赛或表演而发展的运动。这两种击剑术在汉代并存，各有自己的生命力，历久不衰。

与击剑类似的运动还有射箭、投壶。射箭和投壶都是一种古老的运动，而且是礼乐制度的一部分。秦汉时代也是如此，只不过这时的射箭和投壶虽仍在礼的约束内，但已经在无数次的比赛中成长为一项专门的体育运动了。这时的射箭主要有步射和骑射，分别流行于内地和西北边塞。大概由于匈奴的威慑，不论是社会上层还是民间，对于骑射都是另眼看待。汉代着实出了一些优秀的射手，李广其家不必细数，就连文采富丽的陈思王曹植也是骑射的能手。投壶即以矢投壶的比赛，在汉代画像砖中也常见这一幕。

摔跤即"角抵"，作为古老的军事运动在秦汉时也极为盛行。在秦以前称为"角力"，秦时称"角抵"。不过这时它已经不单指摔跤这一种形式了，而是包含了歌舞等在内的综合娱乐形式。汉代摔跤称"卞"或"牟"，有时也称"角抵"，成为了角抵百戏表演中的重要节目。据张衡《西京赋》记载，表演者头上扎着绛红色的抹额，头发用胶液梳成竿子一般，直立在头顶上，光着身子、伸手向前，互推互搏来较量胜负。

六博是秦汉时期盛行的棋类游戏，本作"六簙"，亦称"陆博"。它兴起于何时，因资料贫乏，不得而知，但早在春秋战国就已经开始流行。所用之棋六黑六白，每人六棋，故名六博。局分十二道，两边各有名为"水"的地方，放两枚"鱼"。博时先掷采，后行棋，棋行到水处，则入水食鱼。每食一鱼便得二筹，得筹多者为胜。秦汉对六博的喜好可以说是全民性的，无论尊卑、男女，都是一样的痴迷。

秦汉时期的艺术风格

历史总是滚滚向前，而永恒的艺术却试图把它定格。令人感叹的是，那个时代默默无闻的艺术家们，他们通过自己的雕塑传达了当时的沉雄豪迈，通过画像石和画像砖将生活的瞬间凝固，通过笔走龙蛇的小篆、隶书再现了当时的倜傥风流。

雕塑品味——沉雄豪迈

秦统一四海后，在继承前代技艺的基础上，雕塑艺术得到了空前发展；汉时，和王朝统一的文治武功一样，雕塑艺术更加表现出超然的恢宏和大气。这一时期的代表作品就是气势磅礴的兵马俑和纪念性的群雕。它们数量庞大，陈列整齐，气势威武，形象逼真，都是史无前例的气壮山河的写实主义作品，开创了中国雕塑史上大型写实主义群塑的先河。

秦朝兵马俑军阵

　　1974年3月，一位陕西农民在打井的时候意外发现了一个陶做的士兵头颅，他万万没有想到，发掘了一个震惊世界的奇迹。

　　经过后人的不断发掘，秦始皇兵马俑终于露出了庐山真面目。

　　这一大型的陶俑群位于秦始皇陵外围墙以东一公里处，其中除了四号坑仅具坑形外，其他三坑出土的步、骑、车、弩等四个兵种的武士俑约有七千左右，驷马战车一百多乘，驾车陶马和骑兵陶鞍马共一千多匹，还有大量的真实的青铜兵器。其中以一号坑为最大，是面积约一万四千二百六十平方米的长方形结构，在这里出土了约六千个陶俑，还有驷马战车近五十乘。在这组陈兵性质的陶俑阵形中，前面是三列横排的二百一十名威武的弓弩手，后面是分成三十八路纵队的步兵和战车兵，步兵俑有的手持弓弩、背负箭袋，有的手持戈、矛等长柄兵器，昂首挺胸，巍然屹立。车马的驾具齐全，马引颈昂首，张口嘶鸣，跃跃欲驰，御手双手紧握马缰绳，全神贯注。而且在左右两侧和最后一排，分别列有一列面朝外而立的警诫弓弩手，这正是矩阵的精锐所在，显示了秦军"千军万马如卷席"的强大军队阵容。二号坑面积呈曲尺形，约六千平方米，主要陈列了由持弓弩步兵俑、战车、车兵、步兵和骑兵组成的四个方阵。其中持弓弩步兵俑组成的方阵有步兵俑三百三十二个，阵心是由八列面向东的身穿铠甲的蹲跪式步兵俑组成，每列二十个，共一百六十个。方阵的四旁都是身着轻装或重装的立式步兵俑，另有两个身穿带彩色花边的甲衣、头戴长冠的中级军吏俑立于方阵的

秦朝跪射俑

左后角，似为统帅。二号坑约计共有战车八十九乘，驾车陶马三百五十六匹，陶鞍马一百一十六匹，各类陶俑九百余件。面积最小的三号坑也有五百二十平方米，这是指挥部，有髹漆彩绘木车一乘，陶马四匹，陶俑六十八件，其中步兵作夹道式站立，似是担任警卫的士兵。秦俑坑内还出土了大批青铜兵器，它们或者佩戴在俑士的身上，或者直接放在地上，据初步统计约四万件，其中绝大部分是青铜箭，另外还有剑、刀、戈、矛、戟、钺、铍、弩等。各个俑坑整体部署都井然有序、气势磅礴，步兵俑身健勇猛，骑兵俑机警迅猛，车兵俑稳健轻捷……显然都是训练有素的精兵强将，表现出了秦军兵强马壮、横扫四野的军事野心和时代风貌。

从单俑的规模上看，秦代以前及以后的陶俑身高少有1米的，而加上底托的秦俑的一般高度却有1.8左右，最高的甚至达2米，最低的也有1.75米，就连出土的陶马的身长也有2米，高1.72米，和真马的大小相同。兵马俑的身形之巨也决定了它的独特的制作手法，即不能像往常那样进行整模塑造，而只能按照兵马的各个部位分别雕塑，然后再整合为一，最后再进行面部表情、头发服饰等的细心刻画。如此规模的群俑，可称得上是中国古代陶塑的空前之作。

秦始皇兵马俑雕塑艺术的表现形式的主要特点除了上述气势庞大外，就是生动传神、写实主义。

兵马俑整齐划一的排列阵势，在整体造型上虽然让人在惊叹之余不免有呆板的感觉，但仔细看来还是很有韵味的。首先这样整齐的阵列造型正是沉沉的墓葬所需，兵俑们一致的战姿、肃穆的表情仿佛他们正置身于规模宏大的葬礼，倾听着悲哀压抑的丧歌，又仿佛他们正面临着一场拓疆卫国的厮杀，回旋的铮铮战鼓鼓舞了将士们的士气，战马嘶鸣，弩弓在弦，千钧一发；虽然不是直接的舞剑弄弩的厮杀场面，虽然他们是呆立在那里永远静止的陶塑，但却凸现了静中有动的艺术技巧和旨趣，那一副副朱红色的发带翻卷起翘、舞动随风。眉棱昂起的士俑紧按手中的满弓弩箭，仿佛一丝失神它就射向了远方，或弯或平的胡须反映了各人不同的心绪。仔细看来，群俑是各具特色的，虽然他们姿势大多是站式，只有少量的蹲姿和跪姿，但是就是同一兵种也有所不同，而且在面部技术的处理上，用千人千面来形容他们毫不过分。

步兵俑有轻装和重装之分，呈站立、立射和坐姿。其中绝大多数步兵俑都是站立姿势的，他们双脚略微左右分开，双目炯炯正视前方，昂首挺胸，巍然屹立。又因手持不同的兵器而姿态万千，双臂自然下垂，右手半握拳，拳心向前，拇指翘起，作提弓状的士俑是持弓者；左臂自然下垂，右臂前屈成90度角，半握拳，拳心向上的是手持戈、矛等兵器的兵俑。一号俑坑还发现了持矛做击刺状的步兵，他左足向前跨出，左腿前拱，右腿后绷，双手一前一后紧握矛柄，屏气注目，奋力前刺，矛的前端是一个被

秦始皇出行车马模型

刺中的张口睁目的人头，生动而形象地表现了持矛奋击敌人的情形。做立射动作的轻装步兵俑共有一百二十七个，都是左足向左前斜出半步，双足略成丁字形，左腿微拱，右腿后绷；左拳向左侧半举，四指并拢，掌心向下，右掌置于胸前，掌心向内，头和身体略向左侧转，昂首凝视左前方，随时准备箭射敌人。还有部分持弓的重装步兵俑呈坐姿，即左腿蹲屈，右膝着地，右足竖起足尖抵地，臀坐于右足跟上，上身微向左侧转，双目也炯视左前方。

　　而且这些兵俑虽然呈陶制的原色，但彩绘痕迹的残留可以明确地断定这些士俑当年一定是身着与生活一样的各色彩衣的，色彩竟有白、赭、黑、朱红、枣红、粉红、粉绿、粉紫、中黄、橘黄等之多，运用的仍是中国古代传统的陶塑敷彩技术，即用明胶作为调和剂，把这些矿物质颜料平涂在俑身上，虽然年久难免剥落，但着色均匀，色彩

西汉霍去病墓前马踏匈奴石刻

鲜艳。

　　二号俑坑内发现的一批骑兵俑群，姿态基本上是每匹马前立有牵马的骑士俑一个。骑手一手牵马缰绳，一手做提弓状，他们都是上身穿窄袖长及膝部的上衣，外披便利的短铠甲，腰束革带，下身穿便于登骑的紧口长裤，足登靴，头戴圆形小帽，帽上有带扣结于颌下；战马披挂齐全，头戴笼头、衔、缰，身配鞍鞯，全身呈枣红色，黑鬃、白蹄、剪鬃辫尾。从形体来看，陶马的个头不大，头部较重但无粗相，鼻骨隆突，颈厚稍短，脊背略下凹，胸部较广，四肢发育较好，是力速兼备的西北马种；出土的战车一般为驷马双轮、单辕战车。御手站立在战车之上，虽然不易掌握平衡，但冲锋陷阵时的驾驭能力极强。

　　秦俑的头像雕塑是最具匠心之处，如果整个兵马俑群以磅礴的气势取胜的话，那么单个兵俑则以生动的面部特征和富有特色的衣饰打动人心。

　　秦俑的发式是多种多样的，步兵俑一般在头顶挽高大的圆形发髻，而且因为秦朝尚右的风尚，这些发髻都挽在头顶右侧，具体还有单台圆髻、双台圆髻、三台圆髻等区别；御手俑、骑兵俑及部分铠甲武士俑梳着扁髻。

秦人喜爱留胡须，这在秦俑的雕塑中表现得特别明显，秦俑的胡须式样丰富多彩，以至于有络腮大胡、三滴水式髭须、长须型、犄角大八字胡、双角自然下垂的八字胡、柳叶状小八字胡、板状小八字胡等的区别。

对眼睛的塑造更是秦俑的点睛之笔，只见他们或者双眼炯炯目视前方英气十足，或者警戒地环视四周目光如电。加上"国"字、"用"字、"由"字、"申"字、"目"字等各种脸形处理得十分得当，配以不同兵种、不同级别的服饰和兵器，统一而不单调，整齐而又生动。放眼望去，军容严整，气势凛然；仔细品味，仪态万千，别具英气。

秦俑是我国古代写实主义陶塑的典范，除了它接近真实的规模和大小外，它的写实主义风格还与它生动、细致的刻塑技巧，能动、真实的创作意图密不可分。如真人大小的斗志昂扬的战俑、隆隆犹在眼前奔驰而来的战车、卷起阵阵风尘的铁蹄战马、如同兵库巡礼般的兵器展览构成了整齐划一气势磅礴的战阵，其中偶尔会有几个造型风格与众不同的士俑，他们可能是身材瘦小、肩膀狭窄的刚上战场的小兵，可能是双肩下垂、形体削瘦的伤兵，可能是双腮瘪凹、皱纹满额的老兵，可能是圆面尖腮、神情机敏的巴蜀士卒，也可能是高鼻大胡、结实强悍的西北战士……

而且陶俑的身体各个部位都遵循着严格的比例，绝大多数的士俑经过测量都按照这样的比例：身高与头的比例在站立时是7：1；坐姿时为5：1；肩宽与头宽的比例为3：1；头与脚的比例为1：1等等，这样雕塑出来的士俑看起来才更加协调、真实。

但是写实风格的强调并不等同于写真，秦俑形象在塑造的过程中为了追求艺术效果也恰到好处地运用了大胆夸张的艺术手法，虎背熊腰的强壮感、怒目圆睁的奋勇状，都恰如其分地把外部形体与内在气质融为一体，体现了"神藏于形，形似而神生"的艺术规律，给人以和谐和美感。

大规模的兵马俑正象征着那浩浩荡荡、夺城拔寨如卷席的秦国雄师，军士、战马都有着急欲奔赴战场的激情；整齐的阵势、威武的表情，都凝聚着摇山撼海的力量。这正是始皇气有盖世、欲天下一统的英雄气魄的流露，也是秦人信念、力量和进取的时代精神的体现。秦俑是当时能工巧匠和劳动人民在统治者的授意下用智慧和汗水创建的另一支永生的军队，从而也创造了这一中国古代艺术史上大规模陶塑艺术的杰作。

西汉时期也沿袭秦风，用俑作为陪葬品的现象也较为普遍。

目前发现的最重要的几处遗址是陕西咸阳杨家湾、江苏徐州狮子山和汉景帝阳陵附近遗址，它们分别是周勃家族和某代楚王、汉景帝的陪葬物。前两处数量都在两千六百左右，它们和秦始皇兵马俑一样也是以军阵的形式陪葬的，只不过在数量和规模上都无法与秦兵马俑相比。在杨家湾出土的俑平均高度在四十六厘米左右，还不到秦俑的三分之一；狮子山出土的最高的俑身也只有五十四厘米，这当然也和墓主的身份没有帝王高贵有关；新近出土的第三处显然是汉景帝的陪葬俑，景帝是西汉历史上以节俭称誉的皇帝，但陶俑的规模依然十分宏大，已经探明的十一座俑坑位于王皇后墓南侧，俑身略高于前两处，约六十厘米左右，不过在数量上却远远超过了前两处，也大大超过了秦始皇兵马俑的数量，总数在四万件左右，而且兵器都是用铁、铜等专门精致打造的模型，大小为原物的三分之一。总体来看，这些俑在塑造上与秦俑风格相近，追求气势和形近，不过在这两方面都没有能超过秦俑。由于俑身不高，就难以像秦俑那样通过对头像的细心加工力求生动形象的效果，只能通过不同的彩绘来强调差别，因而看起来缺乏个性。另外这批汉俑在制作的时候取消了秦俑用来固定的底托，双脚的实际承重让他们看起来多了几分真实的沉重感。并且这批汉俑中骑兵的比重增多，反映了西汉时骑兵大发展的实情；而且骑手不是像秦俑那样牵马站立，而是跨身骑在马上，神气十足。

除了军阵形式的兵马陪葬俑，西汉早期皇陵附近还出土了几处其他的兵马陶俑。在汉惠帝安陵附近出土了纵向排列的披挂铠甲的武士俑，他们的大小和塑造方法与上述两处遗址相同，显然体现了西汉早期的艺术风格，此外还有陶塑的牛、羊、猪等动物模型。

除了陶俑外，秦代追求宏大的艺术效果还表现在青铜铸造上，这可以从十二金人铸像和新出土的铜车马上窥见一斑。虽然古代文献多记载秦代宫殿有很多大型的雕塑作品，但现已无存，包括这"十二金人"铸像，据称秦始皇用从各地收缴的兵器炼化的青铜铸造了十二个庞大的金人，每个重达千斤。铜车马是1980年冬在秦始皇陵封土西侧发现的，两驾车每车驾有四马，各有一名御手，大小均为实物的一半。马都佩戴着金光灿灿的金银辔头，马眼直视远方，额头上的鬃毛似迎风飞扬，马耳朵机敏地斜耸着，似在聆听周围的动静，马鼻微微翕张着；车盖及其四壁都绘有色泽鲜艳的变形龙凤卷云纹和丝丝缕缕的云气纹图案，集华贵与凝重于一体。

汉代尤其是武帝时创造了很多可与秦代相比拟的具有称雄浑厚风格的大型雕塑品，其中最有代表性的就是霍去病墓前的大型石雕。霍去病作为汉代著名的武将，他为武帝时解除匈奴边患立下了汗马功劳，可惜二十四岁就病逝了。武帝为了纪念他的军功，命人仿巍峨起伏的祁连山修建了他的墓冢，并在上面广植草木，安置了许多动物石雕以示纪念。这些石雕是选取了轮廓与作品类似的巨石雕刻而成，包括"马踏匈奴"、跃马、卧马、卧虎、卧象、卧牛、卧蟾、石蛙、二石鱼、野兽食羊、人与熊、野猪、野人等十四件作品，另有两块题名刻石和其他未经雕刻形态各异的巨石，它们与高大的墓冢、茂盛的草木形成了浑厚的整体。

石雕群的主题雕刻是最有艺术价值的"马踏匈奴"，这幅石雕是对墓主健将形象的生动礼赞。身体健壮、马首突出的战马正昂首挺胸把一面目狰狞的匈奴男子踩踏在脚下，虽然他手持弓箭做挣扎状，战马却没有一丝惧色，它的沉着昂然正象征了主人的勇敢和成竹在胸，虽然主人不在马上，但这一浪漫主义的象征手法将此表达得淋漓尽致。其他的石雕部分呈卧姿，浮雕和线条的古朴技法更使得气氛庄严、风格浑厚，卧马有随时纵身跃起的激情；跃马前肢腾起，昂首嘶鸣，一往无前；温顺的卧牛也警觉善察；似在咀嚼的卧虎令人不寒而栗。十四幅作品中卧马、

西汉霍去病墓前卧牛

跃马和"马踏匈奴"分别表现了召唤、战斗和凯旋三个连续明确的主题,象征了墓主扫荡匈奴、战无不胜的英雄气概,也象征着汉王朝永远向前的统一气魄。

霍去病墓前的巨石雕刻是中国石雕艺术史上的瑰宝,可惜的是这样主题鲜明、艺术性与思想性完美结合的群雕艺术并没有继承发扬下来,以后的纪念性的墓前雕刻多是单一的石刻像,目前发现的东汉末年的益州太守高颐墓石兽是其典型代表。这对石兽,形似石狮,高1.1米,长1.6米,都做张口吐舌、昂首向前的姿态,胸旁还刻有两个肥壮的飞翼。虽然没有鲜明的主题,但仍强化了雄健威武的气势,体现了秦汉时代雕塑艺术的壮伟之美。

画像石和画像砖——凝固的生活旋津

汉画像石、画像砖是附属于墓室和地面祠堂、阙等建筑物上的雕刻装饰,它们本质上是我国古代为丧葬礼俗服务的一种功能艺术,然而正是它们使暮气沉沉的墓室变成了流动着现实气息的居室和灵魂寄托的画宫;正是这种独特的艺术形式所具有的浓郁的民族色彩和时代特征使其成为秦汉文化史上的一枝奇葩。

顾名思义,画像石、画像砖是刻印在石材上或砖上的画像,一般都用来在墓室中巧妙地组成不同风格和内容的壁画,不过两者又有着些许不同。首先,从时间跨度上来说,画像砖要稍早于画像石,空心画像砖在战国就已经

西汉观伎画像砖

出现了，不过它的鼎盛期是在东汉，而且也转变为以实心砖为主。而画像石在汉代以前尚未发现，目前发现最早的是西汉昭帝元凤年间的沂山鲍宅山凤凰画像石。画像石在东汉时期大量涌现，但到汉末三国时期就呈衰落之势，以后就很少见了。由此可见，画像石和画像砖是汉代最富时代特征的艺术品，它几乎成了汉代在绘画艺术史上的代名词。其次，两者的制作方法和艺术风格不同。画像砖是模印或捺印的有图画的砖，一般都是用做砌墓室的。画像石是以石为地，用刀代笔的绘画，它的雕刻技法大致可分为单线阴刻和平面浅浮雕。单线阴刻，即图像和石面在同一平面，接近于白描绘画效果。平面浅浮雕，即图像轮廓线外的空间减去一层，图像凸起拓出。除此之外还有弧面浅浮雕、凹入平面雕等。画像石多见于墓室、石享祠、石棺、石阙、石碑、崖墓等石质建筑中。

汉代画像砖和画像石的兴盛、衰落是有其深刻的社会背景的，即两汉时期尤其武帝朝开始疯狂推行的厚葬风

酿酒画像砖

气。汉人对成仙升天幻境的迷信、儒家忠孝学说的鼓吹都对汉代厚葬风潮的形成和泛滥起了不可估量的推动作用。因此，在中国历史上还没有哪个朝代的人像汉代人那样，将如此巨额的钱财花费在坟墓和陪葬品上对死者进行厚葬。他们选择风水宝地作为墓地，建造富丽堂皇的墓室、陪葬大量精美的物品，甚至如金缕玉衣那样贵重的物品也一同陪葬。长沙马王堆三号汉墓、河北满城汉墓，都因陪葬品之丰富、精致而著名。随着砖石材料逐渐用于墓室建筑，汉代贵族地主们开始命人在石面上雕刻各种花纹图案，因为墓室石壁的坚固性、画面保持的耐久性颇能满足汉人厚葬的欲望，因此画像砖、画像石就在风靡整个汉代社会的厚葬狂潮中，迎来了自己发展的极盛期，并形成了空前绝后的艺术高峰。在这之后，由于统治者政策的倾斜、战乱频仍等社会因素，厚葬的风俗难以为继，作为汉代特有的历史现象，汉画像砖、石也随着东汉王朝的灭亡而逐渐地销声匿迹了。

然而画像石、砖毕竟辉煌过，并且留下了至今仍然熠熠生辉的作品。据不完全统计，迄今为止，在全国范围内发现和发掘的汉画像石墓已超过二百座，总数已超过一万块，画像砖也为数可观。画像砖、石的分布范围广泛，但密集程度极不平衡，以山东、河南、四川三个地区最为发达，这当然与上述地方的繁荣富庶和多是豪门贵族的聚居地有关。然而这三个地区的画像风格也多有不同，山东画像砖、石以质朴厚重见长，古风盎然；河南画像砖、石以雄壮有力取胜，豪放泼辣；四川画像砖、石则清新活泼、线条明快、精巧俊爽，颇具魏晋风格。从时间来看，它们也较全面地反映了汉代画像石、砖的情况。

汉代画像砖、石题材十分丰富，这里既有优美神奇、变幻莫测的神话世界，又有古老深沉、英勇悲壮的历史故事，更有丰富多彩、热闹非凡的现实生活。凤飞龙降、女娲伏羲、忠臣孝子、伏兵跃马、斗鸡走犬、跳丸弄剑、百灵嬉戏等场面靡不毕现。从总体来看，尤以或动或静的人物像居多，其中反映现实生活的画像为数最多，包括反映富人日常生活的政事、出行、射猎、豪居、迎客、宴饮、歌舞、收租等。陕西绥德出土的田猎图，可以清楚地看出三个骑马的侍卫奔驰在前，一人在前向后张弓欲射，另有两人在后面张弓追赶，被合围起来的鹿、獐等正张开四蹄惊惶地奋力奔跑，田猎的主人驾车紧随其后。尽管这只是截取了狩猎过程中的一个画面，却淋漓尽致地表达了狩猎场面的惊心刺激。飞奔的骏马与奔逃的鹿群形成了一种鲜明的对比，而猎物的高大肥美无疑预示着此次田猎的丰硕成果，其间张扬着汉代对骑射等武功的尚好，"出则驰于田猎"的情景永远刻印在这一时代的画廊上。

又有反映下层人民生活的市井活动如播种、冶铁、煮盐、纺织、酿酒等内容。1930年在山东藤县出土的冶铁图是目前唯一的一幅冶铁石刻画，画面的左侧一位工匠正在操作鼓风机向炉内鼓风，其中的椭圆形物体就是汉代用皮革制成的鼓风机，这幅画在当初公布之后引起了许多专家的关注，一直以来尽管文献多有记载，但只有这幅画使人们真正见识到了汉代鼓风机的形状。

1955年四川彭山出土的舂米图画像石，可以说是突出了汉代画像石人物画的特点，即汉画像石不是通过人物的经历来细致刻画面部表情，而是通过人物的地位、动作、姿态来刻画人物的个性和特点的，线条式的描画更俏丽生动地反映了生活的各个方面。

很多历史题材画面如范雎与须贾、荆轲刺秦王、鸿门宴等也是汉代画像砖的主要内容，它们无疑反映和宣传了统治阶级的价值取向和道德标准。

汉画像石、砖中还有很多神话色彩的浪漫主义作品，有些直接取材于文学中的神话故事传说，如西王母、东王公、伏羲、女娲等的故事；有些则是没有典故的象征祥瑞的奇珍异物，如舞龙、凤凰、六足兽、比目鱼、木连理等。它们体现了汉代人对永生仙化的崇拜。汉画像石上常见的西王母、玉兔捣药、仙人、云车、龙车等更是深受道家思想的影响，很明显他们是与不死药等永生境界联系在一起的。孝敬的后世子孙们将祖先死后成仙的迫切愿望刻画在沉重的砖石墓葬中，这些仙气流动的画面无疑成为了追求永生的形象寄托和导引。

汉画像砖、石在一定程度上反映了汉代社会生活的各个方面，可以说是汉代社会生活的艺术缩影，虽然从整个雕刻艺术史上看，其画像艺术还处于草创阶段，显得呆板、古朴，线条运用比较简单，刻画姿态难以细致入微，有时长短也不合比例，但它具有的由楚文化发展而来的那种不受束缚、狂放的浪漫主义艺术风格，使它成为了那个时代的艺术焦点。置身于一块块或庄严或俏丽的画像砖、石之间，具有金石味的古朴线条的凸凹刻画，神话——历史——现实图景的相互交织，都使人不禁深叹这大汉风貌"气魄深沉雄大"。正如这种艺术形式本身具有的"金石永寿"的性格一样，汉画像石、砖以其质朴、简洁、深沉、浑厚和浪漫主义的艺术特色在我国古代美术作品中独放异彩，是我国民族文化遗产中逾千年而不朽的艺术瑰宝。

书法艺术——承前启后的转变

汉字与西方文字不同，它不仅作为记录语言的符号，还是一门艺术。人们在写字的时候，把民族情感、主观意识和心绪感情注入其中，使它在追求形态美的同时还可以表情达意。柔软的毛笔富有表现力，它写出的字如画画一样优美，一根根线条里面有许多轻重缓急的变化，如同音乐一样富有跌宕起伏的美感。

秦汉时期，汉字书体变化发展最为丰富复杂，是书法发展史上的黄金阶段。

秦始皇统一中国之前，流行的书体是大篆，又称做籀文。这种书体繁琐复杂，不易流行。后来民间使用的文字已经将其进行了一定程度的简化，但是各国文字仍然不够一致。

统一后，李斯等人总结出的小篆书体成为官方的标准文字。从大篆到小篆，是中国文字的一个重大进步。小篆线条圆润均匀，笔画简省，字型纵势长方，结构定型统一，看起来简捷明快、宽舒遒劲、浑圆质朴。小篆更便于书写和应用，它使汉字开始定型化和符号化，但是还没有从根本上摆脱篆书的象形古意。李斯所刻的《泰山刻石》，字形结构整体一致，运笔流畅飞动，转折处圆匀柔和，风格优美、生动有力，为传世精品。

隶书的出现，才是真正意义上的文字革命。秦统一后，国家事务异常繁多，下级官员使用篆书，字画很多，书写速度较慢，不能满足工作的需要，于是产生了一种比小篆更为简易、书写更为方便的书体——隶书。由于使用者多是下级"徒隶",所以称为隶书。

隶书的出现也是书体上的一次革命。古文大篆基本上是象形文字,形体无定、笔画不一,小篆虽有改进,使之趋向字型化和符号化,但仍然难脱象形古意,而隶书的出现从根本上扬弃了象形。它在笔画上化圆转为方折,以直线代替弧线,出现了"蚕头"和"波磔",行笔时由缓慢变为短促,提高了书写速度,为汉字走向自由写意的审美化、艺术化奠定了基础。当然,隶书在秦代仍然只是一种辅助性的文字,在汉代它才定型,成为一种主流书体。

汉代在书法史上的地位无论怎样强调都是不过分的。隶书在东汉成熟,楷书、草书、行书也在此时产生。西汉时期,隶书处于发展阶段,所以姿态万千、率真自然、纵逸活泼。从传世的简牍墨迹上看,有的随心所欲、奔放张扬,有的形意翩翩、飘逸灵动,有的雄浑飞扬、纵情舒展。这种雄浑大气与汉代的纵横捭阖、沉雄豪放的气度有暗合之处。

到东汉桓灵之世,隶书臻于成熟。当时盛行立碑,追求生命的不朽,彰显人生的事功,在这种坚硬的载体上,成熟的汉代隶书大量流传后世。东汉碑刻展示的隶书绚烂多姿、异彩纷呈,有的古朴拙茂、雄浑厚重,观赏这类汉隶,使人不禁想起霍去病墓前那组古拙雄劲的巨型雕塑;有的则完全不同,它们规矩森严、方圆中正、遒劲端庄,这类隶书被视为汉代隶书的典范,如著名的《熹平石

经》；有的隶书似乎将目光指向了未来的魏晋时代，它们
放松舒展、纵横恣意、挥洒自如，如著名的摩崖石刻《石
门颂》，它的字势飞动，如闲云野鹤，翩翩起舞，悠哉游
哉。在这种狂放不羁中，我们似乎嗅到了将来魏晋风度的
隐约气息。

文学殿堂——铺张扬厉

汉代尤其西汉文学的铺张扬厉是文学史上著名的，大
到文章的气势，小到文章的文辞富丽，都在文学殿堂里体
现了政治上的张扬。无论是慷慨激越的论辩说理散文、雄
视百代的历史散文，还是纵横捭阖的散体大赋，都体现了
这样的帝国气度。

论说散文——指点江山

论说散文指政论性较强的论辩说理散文，它是先秦诸
子散文的延伸和发扬，也是秦汉文学散文中慷慨激昂的段
落，所谓"战国之遗响，秦汉之新声"。

论说散文的产生与先秦时代思想的百家争鸣、士人政
论主张的慷慨陈词有着直接的关系。秦汉时代，论说散文
依然以其与政治的近水楼台的天然优势而长足发展，不过
这时的论说文章随着时代的变迁而逐渐有了新的变化。从
西汉前期的纵横议论、指摘时政到西汉中期以后的歌功颂
德、坐而论道与针砭时弊，论说散文随着政治现实的变化

而跌宕起伏、气象万千。

秦代由于统治者实行的文化专制而造成了"秦世不文"的后果,以论说散文见长的文学家李斯成为了秦代文坛上的一枝独秀。

一篇《谏逐客书》提升了李斯在秦始皇心中的政治地位,也奠定了他在秦汉文学史上的地位。这篇文章虽然作于秦统一之前,但是无论是身为谏客还是贵为宰相,这篇文章都展现了李斯的论说才华。文章援引秦开国四百年间求贤若渴、励精图治的历史,将当前秦好四方享乐之物与"非秦者去,为客者逐"的用人政策作对比,得出"是所重者在乎色、乐、珠玉,而所轻者在乎人民也"的结论,又分析强调这一错误结论的"求国无危,不可得也"致命性后果,最终说服秦王收回了成命。全文立意高远,笔锋犀利,说理透彻,整饬严整,文采富丽,灵动多变,诸如"今陛下致昆山之玉,有随、和之宝,垂明月之珠,服太阿之剑,乘纤离之马,建翠凤之旗……"这样华美灵动的句子比比皆是。

秦统一后,已是宰相身份的李斯文风发生了变化,简质峭刻的法家笔意在《论督责书》《言赵高书》中倾泻开来,顺势变化。《狱中上书》作为绝笔之作,受诬之冤,满腔悲愤,文如其心,随情涌动。

西汉前期的论说散文,具有明显的以史为鉴、切用为本的特点。汉朝初立,秦亡的惨痛历历在目,于是高祖命令陆贾"试为我著秦所以亡天下,吾所以得之者,及古成败之国"，《新语》首成。

之后，活跃在汉初政坛的政治家们纷纷撰文指摘历史，对比古今，论说散文欣欣向荣。其中，贾谊、晁错的论说散文成就最高，"为文皆疏直激切，尽欲所言"，"皆为西汉鸿文，治溉后人，其泽甚远"。作为博学多才、激情奔放的年轻政治家，贾谊的文章往往锋芒锐利，忧患滔滔，感情热烈，文字激扬。他的文垂青史的《过秦论》，上、中、下分扣始皇不明攻守、二世不知正倾、子婴不能救败三个连环相属的主题，精微剖析，得出"三主惑而不悟，亡，不亦宜乎"的结论，顺势提出"君子为国，观之上古，验之当世，参以人事，察盛衰之理，审权势之宜，去就有序，变化有时"的社稷主张。文采藻饰，铺张排比，气势宏大，挥洒自如，借鉴历史、指点江山的政治热情流淌在字里行间。如果说《过秦论》是评鉴历史的话，那么《陈政事疏》则是忧患现实，"可为痛苦者一，可为流涕者二，可为长太息者六，若其他背理而伤道者，难以遍举"，这是怎样的忧国情怀！它是对时政利弊得失的大胆剖析，是对国家居安思危的处心积虑。正是"贾谊谋虑之文，非策士所能道；经制之文，非经生所能道。汉臣后起者，得其一支一节，皆足以建议朝廷，擅名当世。然孰若其笼罩群有而精之哉！"

汉初的另一位著名的论说散文家就是晁错，他的《言兵事疏》《守边劝农疏》《论贵粟疏》都指陈时弊，言之凿凿，纵论振兵之急、劝农之切、贵粟之要，言辞恳切，气势轩昂。

武帝即位以后，盛事开疆，这一时期的论说散文也随着政治新声翻开了新的一页，在文辞依旧满怀政治激情的同时，一统情怀和天人相与取代了以史为鉴的论说脉络，歌功颂德、坐而论道的散文成为一时风尚；怀才不遇、抒发愤懑的文章崭露头角。这一时期的代表人物主要有司马相如、董仲舒、东方朔和司马迁等人。

司马相如的略带赋体色彩的《封禅文》辞藻缤纷、典雅庄重，"大汉之德"在这里得到了无限的赞扬和彰显。《谕巴蜀檄》作为一篇政府公告式的政治檄文，篇章虽然短捷，大汉一统声威的煊赫却充溢其间。"北征匈奴，单于怖骇，交臂受事，屈膝请和；康居西域，重译纳贡，稽首来享。移师东指，闽越相诛；右吊番禺，太子入朝。南夷之君，西僰之长，常效贡职，不敢惰怠，延颈举踵，喁喁然，皆乡风慕义，欲为臣妾。"行文难免夸虚，但是气魄宏伟、感染力强，泱泱帝国的风貌毕现眼前。

董仲舒则是典雅醇厚的论说儒文的代表。他的《贤良对策》谨沿着武帝的意欲，以《春秋》公羊学派的观点来回答皇帝的策问，倡导"《春秋》大一统者，天地之常经，古今之通谊也"，引经据典、反复陈述，明确提出了"罢黜百家，独尊儒术"的政治主张，并用"以观天人相与之际"半劝半胁地进行政治引导。这种带有经学文本、神学色彩的论说散文成了西汉中期以后政论散文的主导，慷慨激昂、直陈时弊的激烈谏文只能偶尔一见了。桓宽的《盐铁论》就是这样难得一见的文章，本着"两刃相割，利害乃知；二论相订，是非乃见"的原则，将盐铁会议的讨论情况如实精彩地记录了下来，直接的诘难、激烈的争论、开合的主题，都在排比对偶的句式中，充分地铺陈渲染开来，明畅自然，逻辑严谨，形象生动，气势充沛，是"一部处理经济题材的对话体的历史小说"。

东方朔以其《谏除上林苑》及《化民有道对》为这一时期的论说散文锦上添花。其中《谏除上林苑》直陈谏意，分析透彻，笔法铺张，纵横捭阖，气势磅礴。"……今规以为苑，绝陂池水泽之利，而取民膏腴之地，上乏国家之用，下夺农桑之业，弃成功，就败业，耗损五谷，是其不可一也。"最后论曰"夫殷作九市之宫而诸侯叛，灵王起章华之台而楚民散，秦兴阿宫之殿而天下乱"，棒喝警叱，可见撼重。东方朔另一篇《答客难》表达了对难大用的不满："彼一时，此一时也，岂可同哉！"慨叹万千，抑郁之情难以遣发。后来的扬雄、班固、韩愈等人都曾受其影响写过类似舒怀的作品。

著名史学家司马迁的抒愤之作《报任安书》，以其忧愤的言辞抒发了忠而见疑、无辜受刑的悲愤，激情满腔，长歌当哭，他坚忍顽强的抗争精神和不屈不挠的进取精神永远激励着后人。

东汉时期，论说散文依然是遵循西汉中期以来的主题。前期一方面班固等人进行了对王朝歌功颂德的创作，另一方面王充撕开了迷信神学的虚伪面孔，《论衡》《问孔》《刺孟》《自然》《论死》等一系列对抗世风、明快畅达、深刻锐利的创作，为东汉前期的文坛和政坛注入了新鲜的活力；东汉后期，随着政治的黑暗，粉饰太平的文章难以为继，抨击时政的作品多了起来，王符的《潜夫论》、仲长统的《倡言》、崔寔的《政论》等都是这一时期的优秀作品。总体上看，东汉时期的论说散文的成就没能维持西汉时代的高度，但它开始有了骈文式的遣词造句，音韵铿锵，辞藻华美，体现了这一时期论说散文向魏晋时代骈文的过渡。

历史散文——雄视百代

秦汉时代，历史散文取得了比论说散文更辉煌的成就，《史记》作为第一部以人物为中心记叙历史事件的纪传体著作，开启了纪传体历史散文的先河，稍继其后的《汉书》又创断代纪传体史书的新高。

《史记》以生动流畅的笔触记述了中国古代从黄帝到汉武帝太初年间三千多年的历史，时间跨度之长暂且不论，它在体例上的创新也功垂千古。此前的《春秋》和《战国策》等历史著作，或简以记事，或要以记言，而《史记》在体例安排上有十二本纪、十表、八书、三十世

司马迁画像

家、七十列传，共一百三十篇的宏著将上下三千年的兴替尽收眼底，贵族公子、官僚大夫、政治家、军事家、思想家、文学家、经学家、策士、隐士、说者、刺客、游侠、医生、商贾、卜者、幸臣等轮番登场，上演了一幕幕恢宏悲壮的历史剧。一百三十篇人物传记将历朝帝王的兴替、封国诸侯的起废、贵族臣僚的宦迹、刺客游侠的豪爽、优伶幸臣的谄媚等叙述得生动活现，这是《史记》的精华部分。

《史记》作为一部生动的史学巨著，有着同样卓著的文学价值，书中塑造了一大批栩栩如生、性格鲜明、丰姿各异的人物形象，使人读起来如闻其声，如见其人。对人物主要性格的深刻把握闪现着作者倾向性的感情色彩，上自皇帝下对酷吏，能不虚美、不隐恶地大胆揭批和讽刺；对离经叛道者能振人之干，不掩其能；对下层小人物的悲剧命运能给予深切的同情。

司马迁继承了先秦历史散文随事写人的传统，注重在情节发展的过程中让各种人物做充分表演，更善于戏剧性的场面描写。《鸿门宴》是《项羽本纪》中很精彩的一节，通过双方人物的同时出场和直接的言语交锋，项羽的豪壮粗信、刘邦的机敏谨慎，都展现得活灵活现。樊哙的出场更是突出了当时冲突的激化和形势的紧张。他的闯营、怒目而视、吃肉饮酒、责诘项羽，直到最后劝谏刘邦不拘小节顺势脱身等言行，表现了他有勇有谋、审时度势的政治才干。司马迁完全是通过一系列的动作和言语来刻画人物的这一特点的，这一手法在《史记》中其他部分也多有运用。无论是《廉颇蔺相如列传》中蔺相如庭斥秦王，还是《魏其武安侯列传》中的灌夫骂座和东朝庭辩，抑或《刺客列传》中的易水送别和秦廷行刺，惊险、激昂、悲壮，都有声有色地铺陈开来，使人有身临其境之感。

司马迁善于以小见大的刻画人物特点，一些有关的传闻轶事，或者是直接的生活细节被放置在文首铺垫下文或者穿插在文中进行补充说明。无论是《留侯世家》中的张良见圯上老人，《陈丞相世家》中的陈平分肉，还是《淮阴侯列传》中的韩信受胯下之辱，这些小插曲都成为了表现人物难得的传神之笔。李斯的"斯人斯鼠"的故事尤为形象深刻。《李斯列传》开篇就记载了这样的故事：年轻的李斯做郡小吏的时候，一次看到厕所中的老鼠正在偷吃污秽的食物，被发现后，十分惊恐，又看到仓库中的老鼠偷吃积储的粮食，在大殿之内反而悠哉游哉。不禁感叹道："人之贤不肖譬如鼠矣，在所自处耳。"于是从荀卿学帝王之术，开始了宁做仓鼠勿做厕鼠的为荣禄而奋斗的一生。李斯的形象在鼠的喻衬下多了几丝狡猾和贪婪，与历史的画像叠印在一起，便愈发生动丰富起来。这样的例子在《史记》中多有所见。

《史记》的结论部分是广受称赞的。虽然短短数语，平实无华，却是作者写实主义的凝结，是作者揣摩、体会的结语。这里有对风骚人物的赞颂、英雄末路的慨叹、悲壮之士的同情、爱国夫子的敬仰。"位虽不终，近古以来，未尝有也。"慨叹楚霸王"乘势起陇亩之间，遂将五诸侯灭秦"的英雄豪情；"先国家之急而后私仇"，赞的正是蔺相如忍辱负重、精诚团结的高尚品格；"与日月争光可也"，赞颂屈大夫殉己求脱的爱国精神……

鲁迅先生评价《史记》，"史家之绝唱，无韵之《离骚》"，正是对《史记》巨大史学价值和文学价值的精辟概括和充分肯定。

在著史之风颇兴的汉代，班固的《汉书》是继《史记》之后的另一力作。经班彪、班昭、马续等人的续作，《汉书》记载了自汉高祖元年至汉更始元年（前206～25）包括王莽统治的十四年在内的近二百三十年的西汉王朝的历史，是我国第一部纪传体的断代史，全书分十二帝纪、八表、十志、七十列传，凡一百篇。其中十志是《汉书》

新创之作，也是非常有价值的部分，正是这部分内容使司法制度、自然变迁、地理沿革、文化典籍等情况如实地记载了下来，后世的正史均循此格式。

《汉书》在人物传记的撰写上，继承并发扬了春秋以来"直笔""实录"的优良传统，不虚美、不矫饰，为后世撰写断代史树立了榜样。李陵列传更体现了作者公正不阿的优秀品质，司马迁当年就是因为为李陵辩白而受腐刑的，他在李广传记后以附传的形式为李陵作传，不足三百字、寥寥数行，终究苦衷难言。而班固不避同朝讳，以良史之才，繁《史记》简述，为李陵树碑立传，洋洋两千多言，详细记述了李陵的赫赫战功和被叛徒出卖、"全其老母，使得奋大辱之积志"的无奈，又尤具深意地重申了当年司马迁为李陵辩白的话语，"事亲孝，与士信，常奋不顾身以殉国家之急。其素所蓄积也，有国士之风"。班固还特别指出："身虽陷败，然其所摧败，亦足暴于天下。彼之不死，宜欲得当以报汉也。"以翔实的史料、得当的结语，酣畅淋漓地还李陵事迹和司马迁受辱起因以真相。

《汉书》在语言运用上也富有特色，取得了很高的成就。容铸诗赋语言于散文中，严整凝练又生动雅丽，韵味的讲究使得文章气势起伏，清晰明畅。诸如《苏武传》的类似优秀传记不绝于书。

汉代大赋——铺陈夸张

汉赋是汉代四百年间最具有鲜明时代特色的文学样式，它的辉煌成就使其取得了与"唐诗""宋词"这样杰出的时代文学并肩比势的地位。

汉赋和楚辞有着难以断离的渊源，"拓宇于楚辞"是两者关系的准确概括。自从伟大诗人屈原在楚国民歌的基础上，创造了《离骚》这样伟大的新诗体——楚辞后，在它的影响下，战国后期活跃在楚国的一批文学家如宋玉、荀况等"爰赐名号"，拉开了赋体创作的序幕，并很快以其"铺采摛文""体物写志""润色鸿业"的特色显露了勃勃生机。以至于"秦世不文"尚"颇有杂赋"；到了汉代，虽"顺流而作"，似不经心，却取得了洋洋洒洒、蔚为大观的景象。这是文学艺术的传承和整合发展的必然，骚体赋向散体大赋的过渡、散体大赋的雄肆文坛，都深描了这一轨迹。这更是大汉帝国天下一统的恢宏气魄、壮丽重威的盛美气象、高昂进取的时代精神和英雄主义民族情绪的自然流露。只有这"述客主以首引"、散韵结合、铺陈夸张、"与诗画境"般体物言志的大赋才能舒怀达意。

西汉前期，是汉赋的肇始期，这一时期的赋体创作还大体继续楚辞的遗绪，以抒情言志、感怀不遇、忧思悲慨的骚体赋为主流，在相对缓慢的进程中，逐渐开始了向散体大赋的过渡和分流。这一时期的赋家代表主要有贾谊、枚乘等人。

贾谊以《吊屈原赋》《鵩鸟赋》《旱云赋》立誉于汉初赋坛，成为了骚体赋的主要代表人。作为才华出众、志向远大的年轻政治家，贾谊在深受皇帝赏识，政治事业如日中天的时候，惨遭小人谗毁、权贵忌害而无端被逐，从远贬长沙到伤毁而卒的数年间，他的抑郁伤怀可想而知。《吊屈原赋》就是他被贬长沙的途中、水渡湘江想起境遇相近的先贤屈原时，"因以自谕"的凭吊之作。全文对屈原"遭世罔极""逢时不祥"的悲剧命运表示了深切的惋叹和悲吊，同时宣泄了自己"意不自得"的愤懑之情。相比屈原的"既莫足与为美政兮，吾将从彭咸之所居"的命殉理想的做法，贾谊以其"彼寻常之污渎兮，岂能容吞舟之鱼"表达了另一种政治胸怀。

在谪居长沙的漫长岁月里，贾谊陷入了对时政的煎心牵挂和痛苦矛盾中，寿命不永的不祥思绪时时困扰着他，生的悲哀和死的恐惧激烈地折磨着他，在这种情况下他写了自伤自悼的《鵩鸟赋》以求解脱。他以当地楚人俗称为"鵩"的不祥之鸟偶然飞落其侧为契机，在疑惧不安中幻化出了与鵩鸟的对话，"其生若浮，其死若休"表达了他历经创痛而难免消沉的情绪。《旱云赋》则以其强烈的现实性，悲慨万端地宣泄了忧时悲政，关心民众的感情。

从形式看，这三篇赋多为规整的四言，叠用排比，新用赋体而楚辞味浓，正是散体汉赋的前期形式。

此后，以游谈之士为文的枚乘，以其纵横捭阖、"凿险洞幽"的《七发》使汉赋真正形成了"腴辞云构，夸丽风骇"的散体大赋，楚辞余波不再，体物言志突显。《七发》乃取"说七事以发太子"之意，全文由居处、音乐、饮食、车马、游观、田猎、观涛等七事为主体结构，由静而动、由浅入深地渐进启发太子。以铺张扬厉的手法细致生动地描绘了大量反映贵族奢侈的富丽堂皇的场景，藻饰华丽、美于音律。其描写观潮的精彩场面历来受到赞许，"其始起也，洪淋淋焉，若白鹭之下翔；其少进也，浩浩澄澄，如素车白马帷盖之张；其波涌而云乱，扰扰焉如三军之腾装。其旁作而奔起也，飘飘焉如轻车之勒兵。六驾蛟龙，附从太白；纯驰皓蜺，前后络绎……"全文从各个时期汉王公贵族的奢侈腐化的现实出发，通过对大量具有典型意义的腐败现象的入微描述，讽喻统治者痛下针砭，以"要言妙道"为治。这篇两千多字的文章是首先出现的名副其实的散体大赋，在汉赋发展史上具有标志性的意义。

西汉中期以来，散体大赋空前兴盛，涌现了诸如司马相如、王褒等一批著名的赋家。司马相如将枚乘《七发》开创的赋体形式发展到定型的极致，作为汉赋的奠基者，其后汉代赋坛的创作大多不能出其圭臬。

司马相如现存下来的作品有《子虚赋》《哀秦二世赋》《大人赋》《长门赋》《美人赋》等，其中《子虚赋》是最成熟的作品，它实际包括《子虚赋》和《上林赋》两篇前后衔接的作品。赋文通过虚构出的楚国子虚、齐国乌有互相夸耀、责难，分别描绘了齐楚两国的物产之富、田猎之盛，然后虚构出亡是公，更极力渲染了天子上林苑的壮丽宏大，以呈压倒之势。最后以天子解酒罢猎、幡然醒悟结束。尤其《上林赋》极力颂扬天子富有四海、无上至尊，着实起到了"润色鸿业"的作用，又以委婉的"劝百讽一"的形式进行了规谏。在"体物"这一点上，《子虚赋》全文流淌着"苞括宇宙，总览人物"的艺术修养和凌云健笔。

司马相如以其丰富过人的想像力，驰骋才情，通过铺排、夸张、比喻、渲染、对照等多种艺术手法，使这篇长达三千五百多字的赋体鸿篇取得了动人心魄的艺术效果，将汉赋推上了艺术发展的顶峰。其中描写歌舞的经典句段如"置酒乎颢天之台，张乐乎胶葛之宇……奏陶唐氏之舞，听葛天氏之歌；千人唱，万人和；山陵为之震动，川谷为之荡波，巴、渝、宋、蔡，淮南、干遮，文成、颠歌，族居递奏，金鼓迭起，铿锵铛鞳，洞心骇耳"。

武帝盛世之后，如《子虚赋》那样声势气魄的宏赋已经"多以为淫靡不急"，而王褒的《洞箫赋》却是这一时期显现出的"辩丽可喜""愉悦耳目"的唯美赋篇，在艺术形式上采用骚体，内容却是细致描绘洞箫的"体物"，以散体大赋的格局、直接描绘再现的形式对小小洞箫的形制、音律从外形到内里的描述，美轮美奂、诗情画意。其描写洞箫竹干曰："朝露清冷而陨其侧兮，玉液浸润而承其根。孤雌寡鹤，娱优乎其下兮，春禽群嬉，翱翔乎其颠。秋蜩不食，抱朴而长吟兮，玄猿悲啸，搜索乎其间……"成为了咏物赋体的代表之作，并对后世的咏物文学产生了深远的影响。

西汉后期，与司马相如比肩的扬雄适应西汉王朝国立日颓的形势，随势而说理，纠正了散体大赋一度"虚而无征"的弊病。他的《甘泉》《河东》《羽猎》《长杨》四赋仿《子虚赋》式样，寓讽于文，推类而言，"极丽靡之言"；他的《蜀都赋》结构宏大，以瑰丽的文采描写了蜀郡成都的壮美山河和富庶物产，开创了表现都城大邑题材的先河。之后，班固的《两都赋》、张衡的《二京赋》、左思的《三都赋》这些东汉时期的代表之作都是在其影响下而作的描写汉代城市生活、风俗民情，衬托东汉强盛的经典之作。《两都赋》将京都山河形势、都城形胜、街市繁华、郊野气象和农桑丰硕等都进行了具体而生动的艺术再现，语言规整，明畅顺达，文瞻而事详。萧统《文选》将其列为第一篇，可见蜚声远播；张衡"精思傅会，十年乃成"的《二京赋》，更是"长篇之极轨"，全文达七千六百多字，是标准的散体大赋的结构和气势，但凡山川城邑、宫殿苑囿、草木鸟兽、衣食乘舆、祭祀射猎、歌舞百戏等无不搜奇辑异，以期达到"抒下情而通讽喻"的效果。语言宏富而不堆砌，清新流畅、转接自如，形成独具魅力的灵动风格。

东汉后期，散体大赋连骈铺陈、穷极物象、庞大臃肿、淹抑情志等弊端陈陈相因，几经革变而积弊难改，渐渐失去了盛世生机，虽经班固、张衡等人的努力维持而终不能挽回衰落。散体大赋自从在司马相如手中由郡国走向宫廷后，它的圣颂应制性决定了"言志"终将是真情被淹抑在一片颂声之中，难以明抒心曲，不得不渐渐让位于宣泄情怀的其他作品形式，而真正能体现"体物写志"宗旨、形式灵活自如的小赋遂占据了汉末文坛主体。

二、东汉的起承转合

东汉末期，中国文化如涓涓溪流，婉转反复。先代的铺张扬厉开始内敛，人们对现实的关怀使人隐隐听到了倜傥不羁的魏晋名士白日纵酒的轻声吟唱。

艺术风格——现实与细致

除了继续体现前一时代恢宏拓展的艺术特色外，现实与细致成为东汉时期的主要艺术追求。无论是从雕塑艺术还是从绘画艺术上看，作品体现的世俗化、生动化的倾向

东汉石雕彩绘骑马俑

越来越明显。这一方面是整个东汉时代"崇实"审美情趣的展现，另一方面也是美术艺术追求由粗犷向细致的发展体现。

雕塑品味——走向世俗和生动

气魄宏大是秦汉雕塑艺术的追求主题，这在墓葬文化的艺术表现中体现得更加明显。而东汉时代，虽然类似巨型的作品比较少见，但仍然力求体现这种古朴大气的艺术追求，同时世俗化、细致化、生动化的追求也渐渐成了一个趋向。体现生活情趣的雕塑作品越来越多地涌现，表明了这一时期审美情趣的渐变和雕塑艺术的延伸。

这一时期的雕塑作品主要有陶俑、铜俑、石刻等。

陶塑彩绘侍女俑、拂袖舞女俑、杂技俑等富有生活气息的陶塑作品在西汉时期就已经出现，分别以西安文帝霸陵的窦氏陵旁出土的四十二件陶侍女俑、西安百家口出土的舞女俑和济南市郊无影山出土的乐舞杂技陶俑为代表。

东汉抚琴陶俑

西汉杂技陶俑

彩绘陶侍女俑有立、坐两种姿态，衣着鲜艳，体态端庄，是宫廷侍女形象的典范；舞女俑身穿长袖舞衣，上身略俯，轻扭腰肢，双手高低甩动长袖起舞，体态洒脱，表现了汉代普遍流行的优雅舒展的长袖舞姿；杂技陶俑雕塑在一个长近六十七厘米、宽约四十七厘米的陶盘上共塑造了二十二个彩绘陶俑，其中七人登台表演倒立、折腰、柔术等杂技，有两名女子甩动长袖翩然起舞，还有八人在专心奏乐，或吹笙、或鼓琴，其余人则注目倾听。造型矫健有力、姿态真实生动，再现了西汉杂技表演的内容和形式。

到了东汉，这种反映社会生活情趣的陶塑作品在墓葬中越来越多地被发现，河南洛阳七里河东汉墓的陶俑、河南新安古路沟东汉墓出土的象戏童子俑、四川郫县东汉砖墓的击鼓说书俑、河南淅川汉墓的陶水榭、广东佛山澜水圩的陶水田、山东济南出土的陶米碓和陶风车、河南密县的彩绘陶楼、山东高唐的东汉绿釉陶狗、河南辉县百泉区的陶家禽等，都是东汉雕塑的代表作品。

其中河南新安古路沟东汉墓出土的象戏童子俑，是以简练的线条表现生动形象的小型陶俑的代表。只见驯顺的大象身体粗壮，与身上活泼的顽童形成了视觉上的强烈对比；大象四平八稳地站立着，四肢和鼻子的垂线相互映衬，稳重而不呆板，而坐在大象身上的童子则采用了最放松的侧坐姿势，只见他双脚垂落在象身的左侧，双手轻松自然地展放在两旁，斜直的两臂正好和大象的顶背结合在一起，仿佛童子正惬意地哼着小曲，摇动着双脚催促大象快点儿走；从整个构图看，童子的头是画面的最高点，正好与两侧的象鼻和象尾的延伸线构成一个大的三角形，童子的活泼可爱、大象的老实沉稳，相映成趣，动静结合，简练的线条越发使其古朴和形象。

　　四川地区出土的击鼓说唱俑是具有特色的陶塑作品。这些俑大多不局限于常规的形象比例，多采用了夸张的手法，往往俑头大而俑身小，正因为头大，所以其表情就表现得十分充分，加上身体动作的形象多样，更显得惟妙

东汉说唱俑

惟肖。如1963年出土的说唱俑就很有特色，一位说唱的老翁头梳锥髻，上身袒露，腹部便便，下身着长裤，赤足，左腿稍屈，右腿前伸，左手持鼓，右手持鼓棒，像是准备敲鼓。缩颈歪头，张口吐舌，突出的额前有数道粗重的皱纹，双眼眯缝，眉飞色舞，神采飞扬，像是正说到精彩处，十分生动传神。

陶水榭则形象地刻画了东汉时的庄园画面。碧波起伏的水池、雕梁画栋的亭榭、袖手盘膝而坐的主人、恭敬待命的侍者、远处逡巡的猎手和鸭、鹅、龟、鸟等形象的塑造，生动地反映了东汉时代地主庄园经济的富庶和安详的生活。

这些富有生活气息的乐舞说唱俑和具有庄园情趣的拟实物俑反映了东汉时期雕塑艺术的悄然转化，而此前墓葬陶塑作品则以气势宏大、整齐划一的兵马俑为主要内容。

1969年在武威雷台东汉晚期汉墓中出土的铜俑，尤

东汉陶水榭

东汉陶船模型

其铜奔马可以说是东汉青铜雕塑俑艺术的代表作。这组铜俑是一组浩大的车马仪仗，共有单独的人物俑四十五件、驾车骑乘的人物俑三十八件、铜牛一个、铜车十四辆、铜奔马一件，而铜奔马堪称绝品。这件铜奔马又称"马踏飞燕""马超龙雀"等，这是一匹身躯健壮、动态十足的骏马，足有34.5厘米高，长45厘米，只见它三足腾空，一足踏在一只回首惊视的飞燕上，马头微微左侧，张口嘶鸣，打结的马尾随风飘举，神气十足。骏马的身体承重点集中在踏飞燕的一足上，更体现了劲美的力量感，这种浪漫主

马踏飞燕

义手法的运用更加衬托了骏马风驰电掣、超越一切的速度和激情。这件铜奔马与霍去病墓前的"马踏匈奴"的石奔马在表现主题上极为相似，都是通过踏足来体现奔马的力量和激情，是秦汉时代"征服性"主题的代表作，但在雕塑手法上，这件铜奔马显然要比雕线式的石雕更加细致生动，而且着意表现马的飞奔动作，正有天马行空的飘逸和壮美。

以后的纪念性的墓前雕刻多是石阙和单一的、更加注重细致刻画的石刻像，这些石雕在东汉时期多是一对被称为"天禄"或"辟邪"的石兽，它们往往能驱除邪怪和带来吉祥。

石阙是立于墓前或庙前的仿木建筑，由基座、阙身和阙顶三个部分组成，多呈起伏的韵律状，阙顶多仿照鸟的升腾飞翔状，阙身上往往雕满了起伏不平的各种生动的浮雕图案。不同式样的阙显示了墓主不同的身阶和地位，

东汉耕作陶俑

不能有丝毫的僭越。现存著名的石阙作品有河南登封太室阙、少室阙、启母阙，山东平邑皇圣阙，嘉祥县武氏阙，四川雅安高颐阙等。其中雅安高颐阙是建造最晚、最精美，目前保存最完整的东汉石阙。这是包括一正阙和一子阙的两出阙，按照汉制，这是两千石以上的大官才有的仪制。高颐阙有相距达13.6米的东西两阙，东阙仅存阙身，西阙高达6米，凌空而起，为重檐顶，由五层石块组成，逐渐向外高挑，阙顶甚至比阙身出檐0.6米，有飘逸的飞动之美，威严又不失灵动，庄重而不呆板。屋顶雕刻成飞檐的屋脊状，脊中刻有一只雄鹰，阙身和阙顶还雕刻有车马出行、人物故事等形象。

石兽在造型上往往结合了虎、狮、鹿等多种动物的形象，有的没角、有的是独角、有的有双角，它们习惯上分别被称做"辟邪""天禄""麒麟"。如前文所述的东汉末年的高颐墓石兽是其典型代表。

绘画主旨——从仙界到人间

秦汉时期是我国绘画繁荣而有生气的第一个重要时期，技法古拙，风格鲜明，具有质朴、雄浑、鲜明和奔放的特点，与整个秦汉时期恢宏拓展的风格是一致的。在内容上，更显示了对楚文化的情有独钟，楚文化中富有神秘色彩的升仙主题在秦汉绘画中得到了充分的继承和发扬，恶以诫世、善以示后的历史主题也得到了充分的表现。人间的生活画卷依次展开，而且随着升仙主题的日益退却开始繁花似锦起来。

这一时期的绘画主要是通过壁画、帛画来体现的。

虽然文献记载秦代宫室的墙壁上多绘有精美的壁画，但大多只能望书兴叹了。20世纪70年代以来，在陕西发现的绘有壁画的秦宫遗址，即秦都咸阳第一号、二号和三号宫殿建筑向世人重现了秦代的绘画艺术。

一号和二号建筑遗址没有完整的壁画，只是出土了许多块残迹，形式多是简单的几何图纹，但是彩绘颜色鲜亮，有黑、赭、黄、大红、朱红、石青等多种色彩，五彩缤纷，风格雄健。三号宫遗址有保存完整的壁画，这是一幅成组的长卷式壁画，长32.4米、残高0.2 ~ 1 米多的廊道坎墙残垣上绘有《车马出行图》《仪仗人物图》《楼阙建筑图》《树木图》《麦穗图》等。其中《车马出行图》最为壮观，以东壁第四间保存得最完整，这是三辆驷马车，正由南向北行驶，其中一车驾四匹均为枣红色的骏马，马头上饰白色马面，拖驾着白辕黑盖的车，技法粗放。马匹的前后关系虽然只能用上下平列来简单地表示，但是却有着早期壁画的浑厚洒脱。衔佩和飘带随风飘舞，多了几许生动，道路两旁有两株塔形树冠的松树，整幅图画下面还有黑彩绘的几何图形；《仪仗图》中共有十一个人，都穿着盖足曳地长裙，裙色有褐、绿、红、白、黑等多种颜色。整体上看，以线描为主的技法使壁画简洁生动，运笔

西汉帛画（马王堆汉墓出土）

流畅，着色富于变化，平铺晕染兼用，风格瑰丽豪放，粗犷壮观。虽然只是廊道上的装饰壁画，难以代表富丽堂皇的宫殿内的壁画水平，但作为最早的现存宫室画，它从一个侧面反映了秦代绘画的水平。

汉代绘画艺术主要反映在墓室壁画上，从考古实践来看，除了西汉早期的墓室壁画为空白外，其他各时期的绘画成就都可以通过墓室壁画反映出来，而西汉早期的空白又可以通过几幅同时代的帛画来填补，所以汉代的绘画艺术得以部分地展示出来，从而体现出了升仙与生活主题的交响。

目前发现的保存完整的西汉早期帛画都是作为"绯衣""铭旌"的随葬品，其中湖南长沙马王堆一号、二号汉墓、山东临沂金雀山九号汉墓出土的帛画最为著名。

马王堆一号汉墓的帛画完美地体现了"升仙"主题。这是一幅1972年发现的呈"T"字形的帛画，画艺精美、画面内容丰富浪漫，是现有汉代帛画中的精品，它向人们详细地展示了冥想中的仙界是怎样的浪漫离奇。在这幅长205厘米，上宽92厘米，下宽47.7厘米的帛面上，展现了天界、人间、地下三个不同的世界。上部天界的右上角画一轮红日，中有金乌；日下为扶桑树，树叶间还有八个小小的红太阳；左上角画一弯新月，月上有玉兔和口吐云气的蟾蜍；日月之间是人首蛇身的女娲，她头披长发，上身着蓝色衣，两手抄在袖中，向左而坐，蛇身缠绕盘踞。整个天界就以女娲像为中心，她的两侧还有五只仙鹤，日月下方还分别有一个张口吐舌的巨龙，月下有一女子似乎正骑龙翼飞升而上，两龙之间有两只展翅的仙鹤在飞舞，下有两个兽首人身的司铎异兽正牵绳振铎，铎下是"天门"，门阙上伏一只威猛的豹子，门阙内有两个门神正拱手对坐，似在等候迎接来自人间的仙人。

帛画的中部代表人间，以墓主的形象和祭祀图为中心。墓主是一位雍容华贵的老妇人，她身穿云气纹的彩衣，拄杖缓行。为了突出墓主的身份地位之高贵，墓主的形象得到了相应的突出，异常高大的身材正象征着她的尊贵和威仪，她身后有三位恭敬的侍女随行，前面两个侍者正捧案跪迎；所有的人都置身于一个长坛上，人物上方绘有由花纹、鸟纹构成的三角形华盖，下方有展翅的祥鸟，两侧是吉祥的蛟龙、仙禽、瑞云等，坛由两只神豹托起，神豹脚踩两条蛟龙，蛟龙龙身在中部交会后穿绕于一圆璧空间，璧下垂一大磬，上有左右流苏，流苏上有两个引导墓主飞升的羽人。在悬磬之下，墓主的家属正在祭祀；帛画的下部代表地下，正中有一赤裸的"地祇"，双手正托着象征大地的平板，下方有交颈缠绕的两条大鱼，两侧还有口衔流苏的大龟等神异动物，从而构成了一个在人间向仙界冉冉上升的画面。

天上、地下、人间的内容繁多却统一有序，布局技巧极为高超，以缠结的双龙为中心，向上下同时发展，形成了对称均匀的大结构，日月分居对称显示了开阔的天空。中部的对龙盘旋贯串，开合原则的运用使众多的景物得到了有序的展现，"高古游丝描"的线条勾勒将情景表达得淋漓尽致。重色彩运用的过程中，作"骨"的墨线、强调的朱红、搭配的白粉、赭红的基色使得画面鲜明而又沉着，诡异又绚烂，生动地描绘了汉人想像世界的神奇和诡异。

马王堆三号墓中的"绯衣"与一号墓帛画相比，内容、形式大体相同，只不过由于墓主是男性，中间的人间世界里画的是头戴刘氏冠、红袍佩剑的男子缓步而行，他上方天界里月下飞升的人像也成了上身裸露的男子，而且扶桑树间没有大小太阳；在三号墓中另有两幅帛画，技法与绯衣相同，只不过表现的是车马出行、房屋仪仗等死者生前的豪华生活。

1976年5月，在山东临沂金雀山九号汉墓中出土的西汉帛画与马王堆西汉帛画不仅风格极为相近，而且内容大同小异，画面上也分为天上、人间、地下三部分。不同的是除了表现引魂升天的主题外，描绘现实生活的人物增多了，如纺织的织女、舞乐的艺人、格斗的武士等；场面构图简明，以红色细线勾线，用蓝、绿、白、黑等色彩平涂。如果说马王堆帛画是古代绘画中"勾线"的典范，那么金雀山帛画则是"没骨"的先驱。

西汉中晚期到东汉时期的绘画成就体现在大量被发现的墓室壁画中，而且这些墓室壁画从时间上能够先后衔接起来，在内容上体现了西汉到东汉的从天上到人间的主题差别。

西汉中晚期的墓室壁画的代表作，主要有洛阳卜千秋墓壁画、洛阳老城西北西汉墓壁画、洛阳八里台西汉墓壁画以及新莽时期的山西平陆枣园村墓壁画、洛阳金谷园墓壁画、陕西千阳墓壁画等。它们表现的都是升仙的主旋律，其中以卜千秋墓壁画最为著名。

由二十多块方砖拼砌而成的墓顶绘有夫妇升仙图，全长451厘米，这是整个画面的中心部分。女墓主乘着三头凤，捧着三足乌；男墓主乘龙持弓，后随一犬，在仙女、仙翁的引导下，声势浩大地在缥缈的云雾中行进。周围分别绘着内有金乌、桂树和蟾蜍的日月，流云，人身蛇尾的女娲、伏羲，交缠奔驰的青龙，展翅飞翔的朱雀，昂头翘尾的白虎，枭首张翅的枭羊，蛇头双耳双鳍的黄蛇等离奇的画面。墓门内上额还绘有人首鸟身、立于山顶的仙人王子乔，后壁画着方头大耳的"方相氏"。退晕染色法的尝试提升了画面的立体感，朱红为主调，淡赭、浅紫、石绿的点染衬托，鲜明而热烈。壁画勾线流畅，运笔轻重缓急，虚实转折多变，风格粗放、自由、有力，人物袖口、披肩、须发等处翘举洒脱的线条，使得人物形象生气勃勃，无论是高贵神圣的神祇、老态龙钟的仙翁，还是敬谨肃穆的男女主人，都表现得十分逼真而自然。

洛阳老城西北西汉墓壁画约是汉元帝、成帝之间的绘画，除了墓主夫妇御龙升仙图和青龙、白虎、朱雀、玄武、方相氏等异物外，还有著名的《两桃杀三士》和《鸿门宴》的历史故事画面；《两桃杀三士》画面长206厘米，高25厘米，这是根据《晏子春秋·内谏篇》，齐景公依晏婴之计用两个桃子计杀手下三个跋扈的勇士的故事而画的。画面共十三人，分三组。武士的勇武骄傲、持矛侍者的恭敬谨慎、齐景公的高大威严、晏婴的矮小机敏，不同性格的人物都表现得栩栩如生；《鸿门宴》在人物的表情处理上更是细致传神，或怒目，或睨视，或狰狞，或忧戚，线条勾出的衣角飞扬舞动，都体现了人物的激昂和当时如箭在弦的紧张气氛。

这两幅历史故事虽然不是壁画的主体部分，但它们至少说明了在西汉晚期的时候，升仙主题依旧盛行的同时表现历史故事的人间画面开始拥有了一席之地。在此之前的马王堆三号墓出土的另外两幅帛画就已经开始突出人间画面了，自此之后的墓室壁画中，这一倾向有了逐渐明显的表现。同是西汉晚期的洛阳八里台墓彩绘砖，除了男女贵族的画面外，出现了驯兽场面；新莽时期的山西平陆枣园村墓壁画除了依旧流行的云气、日月、白鹤、青龙、白虎、玄武等图案外，墓室北壁的《耧耕图》绘有山峦田野，一农人驾黄牛正用耧车播种，旁边一人蹲在树下监工，大路上有来往不断的牛车和农人。西壁绘有一短衣赤足的农人扶犁扬鞭，正驱牛翻田。北壁有一幅著名的《坞壁图》，在起伏的山峦间有堡垒似的坞壁，生动地再现了地主庄园生产劳动和生活的场景。

东汉时期的墓室壁画有东汉早期的营城子汉墓壁画、东汉晚期的望都一号汉墓、辽宁辽阳北园汉墓壁画、辽阳棒台子汉墓壁画、内蒙古和林格尔汉墓壁画、河南密县打虎亭汉墓壁画、偃师杏园村汉墓壁画等，其中东汉早期的营城子汉墓壁画主题依旧是墓主家属祭祀和祈祷死者灵魂升天以及朱雀、苍龙等象征吉祥的画面；内蒙古和林格尔汉墓壁画，是目前东汉晚期最有代表性的壁画，这是由五十组彩画组成的目前保存最完整、图幅最多的汉墓壁画，画面超过一百平方米，是墓主生前人生图景的彩绘，从"举孝廉时"到"使持节护乌桓校尉"，有声势煊赫的车马出行，有繁荣的城池幕府，有各显技能的乐舞百戏，有农耕放牧的庄园生产，有繁忙丰盛的庖厨宴饮，有恭敬孝顺的孝子烈女等画面，规模宏大，气魄豪放。其中的《庄园图》画有彩色的廊舍、结实的坞、整齐的厩栅、健壮的耕牛、成群的马羊和采桑、酿造等场景，完全是东汉地主庄园生活的写实画，具有浓郁的写实主义色彩。

东汉晚期的诸多墓室壁画中，画面主题虽然仍有升仙的情景，但是大部分的内容都是反映墓主人间生活的画卷，车马出行、人物仪仗、迎宾宴饮、乐舞田猎等画面应有尽有，世间豪华优裕的生活牵系了死者向往更好的灵魂，无疑对仙界的热切向往已经被对人间的无限留恋所取代，升仙畅想曲的余音依旧，可是萦绕在死者耳边更多的是世俗生活的交响乐。

文学艺术——直面现实

如果说西汉时期的文学还主要是歌颂帝国的威严和壮美的话，那么东汉时期的文学则走向了生活写实和情感直白。这一方面是对政治和现实生活的真实反映，另一方面也是文学艺术的发展和进步。当帝国雄风不再、铺张扬厉的散体大赋失去现实依托的时候，文人五言诗、抒情小赋、乐府民歌等新的文学形式适时出现了，并以其特有的细腻和忧思为这一时期的文学艺术增添了风景。

乐府民歌

清新生动的乐府民歌是汉代文学的另一重要成就。这一来自民间的歌谣以其完美的叙事、多样的形式和质朴的语言为汉代文坛和乐坛注入了新鲜的活力，它的浓浓的南北风情和真实的民间气息感染着从宫廷到百姓广泛的听众。一幅幅生动形象的叙事画卷，一曲曲清新别致的抒情歌谣，把世间万象都生动地展露出来：穷困的生活、从军的征夫、盼归的思妇、忠贞的爱情、喜悦的丰收……

"乐府"作为管理音乐的机构，早在秦代就已经设立

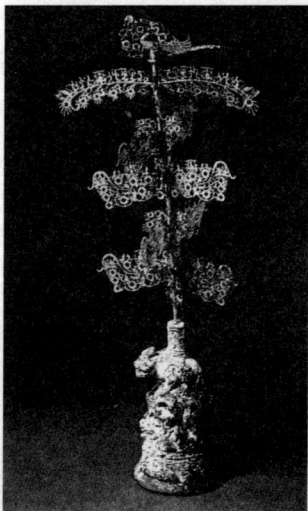

东汉铜摇钱树

了，汉武帝时候，乐府的规模得到了空前的壮大，其中一部分人负责采集各地的歌谣以和曲成乐。采集范围涵盖了北到燕、代、雁门、云中，西到陇西，东至齐地，南到吴楚的广大地区。西汉末年，由于哀帝罢止乐府，采诗活动一度受到中断，但东汉初立，光武帝就命人"广求民瘼，观纳民谣"。终东汉一代又有大量的民歌民谣被搜集，现在所见的汉乐府民歌多为东汉作品。

宋人郭茂倩所编的《乐府诗集》是保存最完整的乐府集，其中汉乐府民歌主要集中在"鼓吹曲辞""相和曲辞""杂曲歌辞"。"鼓吹曲辞"主要是西汉初年从西域传入的北方少数民族作品，内容多样，间有文人乐府作品；"相和曲辞"是汉乐府民歌的精华所在，多为"街陌谣讴"，有三十多首；"杂曲歌辞"有十多首歌谣，但多是文人仿作而成，不是地道的民声。

汉乐府民歌内容丰富，就现存的作品来看，主要有幻想、说理、抒情、叙事几大类，这在保存作品较多的东汉乐府民歌中表现得更明显。所谓幻想，指游仙之类的作品。两汉好异术，在民歌中亦有反映，歌咏神仙万能的《王子乔》《善哉行》等都是这样的作品。说理类作品多是论处世避难、安身立命之道的，如《君子行》："君子防未然，不处嫌疑间：瓜田不纳履，李下不正冠。嫂叔不亲授，长幼不并肩。"以质朴简洁的语言生动地论及了儒家伦理，形式活泼，通俗易懂。

抒情类和叙事类作品是汉乐府民歌的重点所在，"感于哀乐，缘事而发"，涌现出了许多优秀的作品。就具体的题材而言，则可细分为反映下层人民困苦生活、战争、军营、婚姻、爱情等内容的作品。《病妇行》写一个男子因无法维持生活，只好背弃妻子临终的嘱托，不得不忍痛抛下幼子上街乞讨，归家之后见到幼子嗷嗷待哺的悲惨情景；《东门行》是更进一步表现贫苦人民为了生存，不惜铤而走险奋起抗争的代表作。"出东门，不顾归。来入门，怅欲悲。盎中无斗米储，还视架上无悬衣。拔剑东门去，舍中儿母牵衣啼……咄！行！吾去为迟，白发时下难久居！"出门、入门表现了主人公几经反复的内心煎熬，妻子的苦苦劝说难解心中的困苦，"咄！""行！"两字就将主人公一跺脚、一横心的决绝之态生动地表现了出来。《平陵东》《悲歌行》等也属于这类作品。

《东光》《十五从军征》《战城南》《古歌》《饮马长城窟行》等都控诉了残酷的战争和深重的徭役给人民带来的灾难。"诸军游荡子，早行多悲伤！"相和歌辞《东光》反映的正是远征军旅的苦难；"十五从军征，八十始得归"则描绘了白发征夫泪的兵役之苦；"遥看是君家，松柏冢累累。"这是何其悲惨的情景；《战城南》则通过描述旷野尸横、乌鸦群集、争啄尸肉的凄厉情景："朝行出攻，暮不夜归！"深切地表现了对士兵的哀悼和对战争的憎恶；《古歌》悲咏征夫对家乡的思念，"离家日趋远，衣带日趋缓。心思不能言，肠中车轮转"；《饮马长城窟行》则描述思妇想念征人的愁苦，幽幽两地情，思时泪沾巾。

汉乐府民歌中有很多表现爱情、婚姻的作品。其中《上邪》表现了女主人公为了爱情天长地久，向上苍盟誓的激情："上邪！我欲与君相知，长命无绝衰。山无陵，江水为竭，冬雷震震，夏雨雪，天地合，乃敢与君绝！"高度夸张的比喻表达了女主人公对爱情的义无反顾和忠贞。《有所思》描绘了女主人公在得知远方的情人变心后的复杂心情；《怨歌行》《董娇饶》《上山采蘼芜》等诉说妇女们被负心遗弃的哀苦；"皑如山上雪，皎若云间月。闻君有两意，故来相决绝。""男儿重意气，何用钱刀为！"《白头吟》则讴歌了性情高洁的女子与重金轻情的情人决然相分的独立品格。

《相逢行》《鸡鸣》《羽林郎》等暴露和讽刺了统治阶级奢侈、腐败的生活。"小子无官职，衣冠仕洛阳"的无赖纨绔子弟形象在《长安有狭斜行》中得到了大胆、彻底的揭露。

汉乐府民歌不仅在文学内容上十分真实深刻地反映了当时丰富多彩的社会风貌，体现了较高的思想性和价值，而且在文学艺术上也取得了很高的成就，这主要体现在"缘事而发"的叙事技巧、活泼多样的组织形式、质朴生动的语言之美。

　　"缘事而发"是汉乐府诗歌最大的特点和成就。长达一千七百多字的《孔雀东南飞》是其中成就最高的长篇叙事诗，这是主人公刘兰芝和焦仲卿之间的爱情悲剧。专横无理的婆母、善良忠贞受尽委屈的妻子、温厚却懦弱的丈夫、贪婪专制的兄长，各种形象都得到了淋漓尽致的刻画和丰富。故事情节曲折动人，从"兰芝被遣""违心应婚""仲卿责难"渐渐发展到高潮，终于二人"如约殉情"，故事以悲剧结束，最后二人合葬墓上生出的松柏、梧桐是饶有余韵的尾声。铺叙、烘托等多种艺术手法的穿插和浪漫主义色彩的喻示都使它成为了汉乐府民歌中最动人的篇章。

　　生动的叙事不仅使诗歌具有完整的故事情节，而且往往多有典型意义的细节描写，《陌上桑》就是历来受到称赞的经典之作。其中对罗敷的描写极为生动和传神，除了有对春光和煦的景色渲染、对罗敷美貌的直接描画，还有富有喜剧气氛的他人注目爱怜的多种衬托："行者见罗敷，下担捋髭须；少年见罗敷，脱帽著帩巾；耕者忘其犁，锄者忘其锄，来归相怨怒，但坐观罗敷。"可见罗敷人见人爱之美。

　　形式的多样性和多变性是汉乐府民歌的又一成就所在。它摒弃了《诗经》严格四言文学的僵化和呆板，而是自然地贴近生活的节奏，随着诗歌表现的内容和情节有其灵活的韵律，整变结合、不拘一格、灵动流转。如《东门行》，短短十七小句却有一言、三言、四言、五言、六言、七言等多种句式。汉乐府民歌中还有诸如《陌上桑》一类的很多新的五言体诗歌，它们遵循"二二一"或"二一二"的音律节奏，大大增强了诗歌的表现力，很快就被广为应用，而且在东汉后期，这一转变形式又经文学家的模拟和提倡逐渐形成了形式成熟的新体五言诗，并且成为了我国古典诗歌的重要形式。

质朴生动的语言之美是汉乐府民歌的又一亮点。源于生活的语言毫无特意的藻饰，质朴简练，琅琅上口。"矢口成言，绝无文饰，故浑朴真挚，独擅古今。"例如《上山采蘼芜》一诗："上山采蘼芜，下山逢故夫。长跪问故夫：'新人复何如？''新人虽言好，未若故人姝。颜色类相似，手爪不相如。''新人从门入，故人从阁去！''新人工织缣，故人工织素。织缣日一匹，织素五丈余。将缣来比素，新人不如故。'"全诗毫无华丽的言辞，却生动感人，弃妇黯然而出的悲苦委屈、丈夫喜新厌旧再赞前妻、对比新妇的丑恶心态都历历如在目，这样"质而不俚，浅而能深，近而能远"的"天下至文"比比皆是。

汉乐府民歌不仅为汉代诗歌创作掀开了崭新的一页，"使荒漠变成了花园"，而且也对后世诗歌的健康发展产生了深远影响，它的"感于哀乐，缘事而发"的现实主义传统和"随语成韵，随韵成趣""兴象玲珑，意致深婉"的语言艺术一直为后世诗歌所继承。

文人五言诗

五言诗是我国古典诗歌的主要形式，因其"指物造形，穷情写物，最为详切"，历来受到诗家的重视。汉代是五言诗的发展成熟期，它脱离了以叙事为主、从属于民间歌谣和乐府歌辞的阶段，进而成为文人抒情述志、具有独立语言艺术特点的文学形式。

目前可见的最早的五言体是虞姬《和项王歌》："汉兵已略地，四方楚歌声。大王意气尽，贱妾何乐生！"五言诗的出现显然与民歌脱不了干系，汉武帝的乐师李延年就有一首《北方有佳人》，虽然有一句七言，形式上还不是很规范，但是毕竟开始了改变，而在此之前，从汉高祖的《大风歌》、唐山夫人的《房中乐》到汉武帝的《秋风辞》《天马歌》等，都是形式不等的歌辞。乐府民间五言歌谣的兴盛无疑影响了文人的创作，这首先体现在文人的创作上，涌现了许多模仿民间歌谣形式创作的乐府作品，辛延年的《羽林郎》明显带有模仿五言乐府《陌上桑》的痕迹，宋子侯的《董娇饶》也是仿民间乐府而作。

东汉前期，班固的《咏史》是古代文学史上第一首完全脱离音乐的五言诗。《咏史》所咏是西汉初期，齐太仓令淳于意有罪当刑，少女缇萦上书救父，文帝感而诏除肉刑之事。"三王德弥薄，唯后用肉刑。太仓令有罪，就递长安城。自恨身无子，困急独茕茕。小女痛父言，死者不

可生。上书诣阙下，思古歌《鸡鸣》。忧心摧折裂，晨风
扬激声。圣汉孝文帝，恻然感至情。百男何愦愦，不如一
缇萦！"虽然与后期的五言诗相比显得过于平铺直叙，但
毕竟是初创阶段，开风气之先，功不可没。之后，张衡的
《同声歌》问世，拟新婚女儿身份自述新婚的幸福和对丈
夫的矢志不渝的爱情。"情好新交接，恐栗若探汤……愿
为罗衾帱，在上卫风霜。洒扫清枕席……"

新的艺术不断成熟，诗歌创作的新作品也不断涌现。
秦嘉的三首五言《赠妇诗》，语言朴素自然、感情真挚凄
婉，表现了主人公在辞家启程的当夜，难与妻子倾诉衷
肠，伤情满怀的凄怆心绪。"遣车迎子还，空往复空返。
省书情凄怆，临食不能饭。独坐空房中，谁与相劝勉？长
夜不能眠，伏枕独展转。忧来如循环，匪席不可卷。"虽
然主题不过是思恋的儿女情长，真挚的情意却如缠绵的溪
流，涓涓在文中流淌；灵帝时，青年诗人郦炎的两首《见
志诗》分别以凌厉激昂和朴实清雅的风格著于当时。如前
一首中的"舒吾陵霄羽，奋此千里足。超迈绝尘驱，倏忽
谁能逐"，壮志豪情有如江海般气势汹涌；后一首以受洪
波撼摇的灵芝自喻，感愤生不逢时："灵芝生河洲，动摇
因洪波。兰荣一何晚，严霜瘁其柯。"形象生动、个性鲜
明突出；东汉晚期著名文学家赵壹的《秦客诗》和《鲁生
歌》体现了与统治集团决裂的激愤之情，多种手法铺排而
下，感情自如酝酿其中。文人五言诗日趋成熟起来，成为

抒情寄志的重要形式。

《古诗十九首》是东汉后期匿名五言文学的典范，对后世文学产生了深远的影响。刘勰称赞其为"结构散文，直而不野，婉转附物，怊怅切情，实五言之冠冕"。《古诗十九首》最早见于梁代萧统所编《文选》中，由于难以确定作者的姓名和确切的成文年代，只好把这些风格相近的抒情五言诗统称为"古诗"。这些五言诗在艺术上继承了《诗经》《楚辞》的传统，又吸取了乐府民歌的清新动人之处，运用多种方式巧妙地抒发感情，从而创作了浅近真挚而又深切感人的艺术精品。其中有直白畅快地表达内心情感的作品，如《涉江采芙蓉》表现出远游丈夫对妻子的怀念思恋和两地离居的痛苦。"还顾望旧乡，长路漫浩浩。同心而离居，忧伤以终老！"《冉冉孤生竹》则表现了新婚少妇对丈夫的忧思。"思君令人老，轩车来何迟！伤彼蕙兰花，含英扬光辉，过时而不采，将随秋草萎。"也有许多情景交融、语言清丽的优秀作品，如：《迢迢牵牛星》，"迢迢牵牛星，皎皎河汉女。纤纤擢素手，札札弄机杼。终日不成章，泣涕零如雨。河汉清且浅，相去复几许？盈盈一水间，脉脉不得语。"明亮的牵牛与织女星、辽阔神秘的夜空，使人很快进入了美丽又伤感的神话意境中，全篇写景，又字字生情。"迢迢""皎皎"等叠字的使用愈使诗意隽永。《明月何皎皎》更是通过生活情节抒写内心感受的名篇。"明月何皎皎，照我罗床帏。忧愁不能寐，揽衣起徘徊。客行虽云乐，不如早旋归。出户独彷徨，愁思当告谁？引领还入房，泪下沾裳衣。"全诗通过明月照床、独居难寐的思妇自叙，用清丽淡雅的语言表现她的忧愁、徘徊、怨嗟、流泪，事事叙事，字字含情，情与事得到完美的交融。无愧被称为具有"深衷浅貌，短语长情"的特点。

这十九首古诗的主旋律是对人生失意的悲叹，普遍带有浓重的感伤色彩。

以《古诗十九首》为代表的汉末文人五言诗以骄人的成就开拓了五言文学的新天地，并且直接开启了"五言腾踊"的建安文学。这些"文温而丽，意悲而远，惊心动魄"的作品是中国古代文学中的典范。

抒情小赋

早在散体大赋极为盛行的西汉时代，抒情小赋就以其灵动自如、抒情写意的优势而常伴左右。如果说散体大赋是圣颂性很强的帝国文学的话，那么抒情小赋就是随意性浓厚的个人抒情作品，而这正是它颇得文人青睐的关键所在，也是散体大赋的痼疾所在。东汉中期以后，随着社会危机的加深和帝国风貌的衰微，抒情小赋的优势尽显，它体式短小灵活，直抒胸臆，揭批现实，风格明快犀利，成为创作的主流。

在散体大赋盛极一时的时候，抒情言志的作品就很流行，形式和风格如同骚体赋，都重在抒情泄愤。从董仲舒的《士不遇赋》、司马迁的《悲士不遇赋》等抒泄不遇之悲的作品到司马相如著名的宫怨之作《长门赋》，再到西汉后期扬雄的《逐贫赋》、刘歆的《遂初赋》，愤懑之情随文流淌。涓涓之流虽难以和波澜壮阔的大赋一比气势，但细水长流、别开生面，对东汉后期抒情小赋的振奋传递了重要的影响和力量。

东汉前期，班彪《北征赋》、冯衍《显志赋》等再显抒情赋文的生机。《北征赋》追迹《遂初赋》的声气，以现实手法描述了从长安到安定途中的见闻，感时伤乱，反映了社会动荡和民生疾苦。正是"游子悲其故乡，心怆恨而伤怀"。全文不过五百字，吊古伤今，即景抒情，自如流畅，表现出赋体风格的迥异和转变，具有承前启后的重要意义，可以说是首开抒情小赋的先河；《显志赋》再抒不遇之悲情。"豁达激昂，鹰扬文囿"的冯衍慷慨自论，表达自己虽然二十年来"正身直行"，但"时莫能听用其谋"，不免"喟然长叹，自伤不遭"，退而幽居，又"眇然有思凌云之意"，抑郁不甘之情溢于言表。

东汉中期以后，随着社会危机的日益加深，鸿业润色的散体大赋已经失去了巍巍帝国风貌的支持，虽然出于惯性一时还难以绝迹，但岌岌然气若游丝，难有生气。抒情小赋却以其短小精悍、直抒胸臆、指摘现实的优势一跃成为创作的主流。张衡的《思玄赋》和《归田赋》虽是这一时期较早的作品，却影响深远。

《思玄赋》仿屈原《离骚》对"行陂僻而获志兮，循法度而离殃"的黑暗现实进行了批判，表达了对自己持正道反遭排挤的悲愤之情。最终神游八极，难觅安身立命之所，只好又"御六艺之珍驾兮，游道德之平林"。

而在《归田赋》中他终于决心"超埃尘以遐逝，与世事乎长辞"，以归隐田园的实际行动表达与黑暗政治现实的决绝。这篇赋是张衡在河间相任上"乞骸骨"时而作，为官四十多年的经验让他饱尝了官场的心酸和现实的无奈，开始就说："游都邑以永久，无明略以佐时。徒临川以羡鱼，俟河清乎未期；感蔡子之慷慨，从唐生以决疑；谅天道之微昧，追渔父以同嬉；超埃尘以遐逝，与世事乎长辞。"毅然决定退而求洁。全赋二百一十一字，极其短小，却一洗此前大赋宏侈巨衍、虚夸损情的旧弊，直抒心迹。文中通过对静美如画的自然风景的描绘表达了向往之情，"于是仲春令月，时和气清，原隰郁茂，百草滋荣；王雎鼓翼，鸧鹒哀鸣；交颈颉颃，关关嘤嘤；于焉逍遥，聊以娱情"。然而他最终还是没有如愿，不久便终老仕途了。《归田赋》作为自西汉末叶以来赋体革新转变最高成就的代表作，新启之功难以磨灭。

继张衡之后，蔡邕、赵壹等人的抒情小赋创作再居高潮，散体大赋已经无可挽回地退居末流了。蔡邕是当时著名的学者、文学家，他的小赋作品极多，取材多样，贴近生活，语言清新。代表作是《述行赋》，赋文一开始就以路途秋雨连绵、积滞成灾抒发"郁悒而愤思"之情，"玄云黯以凝结兮，集零雨之溙溙。路阻败而无轨兮，途泞溺而难遵……前车覆而未远兮，后乘驱而竟及。穷变巧于台榭兮，民露处而寝湿；消嘉谷于禽兽兮，下糠秕而无粒……"将上下悬殊巨大的生活作了鲜明的对比，感情沉痛，批判深刻。

赵壹是桓、灵帝时的高才耿直之士，屡聘不出，终老于隐。他的小赋言辞激越、情感炽烈，流传下来的只有影响巨大的《穷鸟赋》和《刺世疾邪赋》。

《穷鸟赋》托穷鸟以自喻，抒发对自己横遭迫害的愤恨和对友人多方营救的感激之情。全文不过一百一十二字，都是规整的四言连骈而成，似信笔挥就，通脱自如，极富艺术感染力。其描写穷鸟走投无路时道："毕网加上，机阱在下；前见苍隼，后见驱者；缴弹张右，羿子殼左；飞丸激矢，交集于我；思飞不得，欲鸣不可；举头畏触，摇足恐堕；内怀怖急，乍冰乍火。"穷鸟的窘迫情景跃然纸上。

《刺世疾邪赋》也以区区四百字，对黑暗腐败的时政进行了激烈的批判，尖锐辛辣，为赋坛少见。"于兹迄今"情伪万方。"佞谄日炽，刚克消亡。舐痔结驷，正色徒行。妪禹名势，抚拍豪强。偃蹇反俗，立致咎殃。捷慑逐物，日富月昌。浑然同惑，孰温孰凉？邪夫显进，直士幽藏。"又："所好则钻皮出其毛羽，所恶则洗垢求其瘢痕。虽欲竭诚而尽忠，路险绝而靡缘……安危亡于旦夕，肆嗜欲于目前。"文辞大胆犀利，直指时弊；愤怒激越之情有如喷发之火，震人心魄。比起僵化堂皇的大赋，这首《刺世疾邪赋》更体现了强劲的艺术活力和迅速发展的生命力。

社会土壤的改变和大赋原本的弊端为赋体的转化提供了充分的发展契机。灵巧自如的抒情小赋时代的到来，结束了大赋近三百年来为主流的创作时代。汉末的抒情小赋正处于文学转型的承上启下阶段，此后，魏晋抒情赋作更是极度兴盛，抒情叙志，咏物言事，多循小赋路式而已。

信仰世界——再造传统

东汉时期是我国思想信仰史上的重要时代，这不仅是因为儒学与谶纬迷信的结合带来了新的变化，更重要的是在这一时期中国出现和形成了后来影响深远的两种宗教——佛教和道教。正是由于这两种信仰的传入、形成和发展壮大，中国古代信仰史上才出现了错综复杂的儒、释、道三家的信仰之争。

佛教东来

世界三大宗教中佛教是最早传入中国的。两汉之际，佛教东来，茫茫乱世，异域之教的传入无疑是对中国本土信仰的补充和冲击，但当时它的波及面还十分有限。

佛教究竟何时传入中国的，文书记载不一，强测附会者也颇多，传说纷扬，有的甚至添染了神话色彩。加上魏晋以后，为与道教一比地位的高低，佛教信徒往往吹嘘着把佛教传入的时间尽可能地提前，汉代以前的各个朝代都被拈来纠缠了一番，甚至于还有"三五之世"已知佛教的无稽之谈，此说纯属子虚乌有。佛教传入中国的可靠年代，是在公元1世纪前后的两汉之际，而且此间西域成为佛陀思想东传的走廊。

自武帝时张骞通使西域以来，西域各国与汉内地的政治往来和经济、文化交流等一直泽泽不穷。东汉初年，叮叮的驼铃声还回响在蜿蜒的葱岭间，诉说着礼尚往来的友好。张骞探险西域之时，佛教在中亚传播已有一百多年的历史。中西经济、文化交流的友谊之路开通后，佛教也随着络绎不绝的中外使节、商队通过满是异域风情的大道注入中土。但是，在有完备体系和鲜明个性的中国文化面前，任何外来的信仰想要在中国打开信仰的局面、种下虔诚的种子，并非朝夕之间的事，它注定要有一个比较漫长的过程，而且在此过程中它也势必要"入乡随俗"，以部分的自身失却和改变为代价，以换取在儒学独尊又兼收并蓄的国度的进一步发展。

从两汉之际到东汉末年佛教在中国流行开来的近二百

年的漫长时间里，佛教在中国的流传仅仅限于少数的贵族人物中，而且是以神仙方术的外衣在上层社会中扩散的。就现存的资料，只有"伊存口授佛经""楚英王奉佛""明帝感梦遣使求法"的主要记载。

"伊存口授佛经"是公认的佛教传入中国最早的确切记载。《魏书·释老志》云："哀帝元寿元年（前2），博士弟子秦景宪受大月氏王使伊存口授浮屠经。"此事虽不见于《汉书》，但裴松之在《三国志·魏书·乌丸鲜卑东夷传》的注引中提到了同样的说法，"浮屠"就是"佛陀"的早期译法。史载，公元前3世纪以后，佛教就开始在印度以外的缅甸、斯里兰卡以及中亚、西域一带传播，而大月氏在公元前130年进入大夏（今阿姆河上游一带）地区以前，大夏就曾入侵过佛教盛行的印度西北部地区，因而受大夏人的影响，大月氏在公元前1世纪就已经信仰佛教了，在他们派往汉地的使节和商旅中有佛教信徒是很有可能的，成文佛教法典的缺失也使得佛教的传播主要通过口授进行，这至少说明了佛教在中国已进入了一个知识分子传诵的阶段，并在无声无息中流传开来了。

楚王刘英——已知的中国历史上第一个信仰佛教的上层人物，首开布施之端。作为汉明帝宠爱的弟弟，楚王英信奉佛教不仅"斋戒"，而且"祭祀"。据《后汉书·楚王英传》，刘英"更喜黄学，学为浮屠斋戒祭祀"，与黄老并举说明了佛教初传入的微势弱言。自汉武帝独尊儒术之后，汉初受重的黄老失宠，渐渐与神仙方术、阴阳五行学说结合，在东汉时已经改貌为黄老道术。佛教此时正是被看做一种通过祭祀可以祈求福祥的方术的。楚王英的信奉一度受到明帝的推崇，当他入缣悔行的时候，明帝下诏称其"诵黄老之微言，尚浮屠之仁祠，洁斋三月，与神为誓"，并将此诏书传示各封国中傅以示推广之意，可见浮屠之教已成了贵族信仰的一部分。而关于明帝"夜梦金人，遣使求法"的著名事件，虽然"感梦"本身带有神话意味，足以说明最高统治者在此间的态度。

东汉末年佛教的传播由上层走向了下层，"桓帝祠佛""笮融事佛""严佛调出家"是这一时期比较著名的事件。从文献记载看，桓帝是后汉第一个信奉佛教的皇帝。梁冀专权、清议风行和党锢之祸使桓帝当朝期间成了多事之秋，而且受炽热成仙欲望的驱使，在崇信黄老的同时也祭祀浮屠。"修华盖之饰""立黄老浮屠之祠"，只是这时还依然是佛、老并祠，佛教仍被看做是黄老道术的一种，佛陀被当做可以禳灾招福的神祇来祭祀。

笮融可以说是早期信奉佛教的官僚"居士"，在他督管广陵、彭城等三郡的漕粮时，不惜擅断三郡钱粮，"大起浮屠寺，上累金盘，下为重楼"。笮融的崇佛事业与楚王英、汉桓帝时相比，有了很大的发展变化，即出现了诵读佛经、铸造佛像、建立寺院、举行浴佛会和实行施食等活动，"由此远近前后至者五千余人，每浴佛，多设酒饭，布席于

东汉白马寺

路，经数十里，民人来观及就食者万人，费以巨亿计"。佛教已深入到民间。特别是在笮融建立的寺庙里，诵佛念经还可以减免徭役，开启了后来为逃避徭役而入寺为僧尼的先河。

而严佛调是有记载的最早的汉人出家僧侣。"敏而好学，信慧自然。遂出家修道，通译经典，见重于时。"他还撰写了中国第一部汉僧佛教名著——《沙弥十慧章句》。

东汉末年的佛事活动以佛经的翻译为主，译者多为在印度或西域学习的僧人学者。永平十年（67）从大月氏请得印度僧人迦叶摩腾和竺法兰，两僧用白马载着佛像和佛经来到洛阳，第二年白马寺在洛阳建成，迦叶摩腾和竺法兰应邀讲经，从事佛经的汉译，这是中国佛经翻译之始，洛阳也成为全国的佛教翻译中心，之后，彭城、广州等地也成为重要的佛教传布地。在众多的译经师中，最有影响的是安世高和支娄迦谶。安世高主要翻译小乘的经典，而支娄迦谶主要翻译大乘理论。大乘与小乘是佛教中的两个不同的信仰派别，在修行目标上，大乘以普渡众生、修持成佛、建立佛国净土为最高目标；而小乘则偏重自我解脱，以证得阿罗汉果为最高目标。

佛经在翻译的过程中，当然离不开汉族地主阶级和文人学士的支持。这时的译经事业虽然没有得到政府的直接资助，但涌现了一批热心佛经翻译的文人，当时洛阳的孟福、南阳的张莲等人就直接参加了佛经的翻译工作。出家为僧的严佛调更是与安息商人安玄合作翻译经典，有名的大乘佛经《法镜经》就是他们共同翻译的。这些热心佛事的人不仅翻译经典，还到处宣布教义，传说安世高就曾经到过荆州、丹阳、广州等地，佛教也传入了中国南部。

可以说，佛教在汉代经西域传入中国的过程中，经过了从口授到经典诵读的阶段，经历了从社会上层向下层转移的嬗变，并在东汉末年的混乱中弥漫开来。这并非偶然，东汉末年，社会危机空前高涨，政治腐败，皇帝无能，夺权斗争异常激烈；横征暴敛和自然灾害使人民处于悲惨的境地，农民起义的烽火渐成燎原之势。从思想上讲，儒学的威严难在、经学与谶纬的合流、迷信思想的泛滥、原始道教的形成等，都为佛教的流传开辟了道路，而且前所未有的移民热潮也促进了佛教的流传。当时中亚地区局势动荡，一些大月氏人、康居人、安恩人及天竺人陆续不断地移居中国境内，他们多留居敦煌、洛阳等地，其中不乏熟悉佛教的安息太子、安世高之流。

佛教在汉末能立稳脚跟，也是与它自身的改变和让步分不开的。从楚王英的黄老、佛陀并祠开始，佛教依附黄老道术的境况未有改变，直到汉末民间信仰力量的壮大。像桓帝那样，用讲究的祭器以三牲来祭祀佛祖，用这样传统的祭祀方法祀佛，表现了佛教在初传入中国时的委曲求全和无奈，也因而有了"汉地佛教"，即汉文化系统的佛教的说法。佛教宣扬弃国离家、超脱世俗苦难的做法显然与修身齐家、治国平天下的至尊儒学产生了矛盾，而在与同样讲究超度成仙、强调忠孝观念的道教争夺思想阵地的斗争中，佛教做出向儒学和道教让步的决策是必然的，也是明智的。后来佛教在中国的曲折发展和几经兴盛都说明了这一点。

牟子《理惑论》是佛教传入中国初期由中国文人学士所写的一本宣扬佛教思想的著作。作者在以问答的形式论述佛教的过程中，大量引用儒家经典而极少引用佛经，说明了中国传统思想从一开始就影响着佛教。这本书拉开了儒、释、道三教争论和融合的序幕，书中反映了儒、释、道三教的矛盾和斗争，表现出了佛教为适应汉地形势而做出的种种适应性的改变和重新解释。

原始道教形成

这一时期，宗教史上的另一件大事就是原始道教的形成。它是以神仙不死之说为中心，在吸纳先秦道家、儒家、墨家、阴阳五行和谶纬神学等思想的基础上，神化老子及其关于"道"的学说，受方士神仙说影响，由黄老道演变而来的一种复杂信仰。

道教作为我国土生土长的一种传统宗教，它在东汉末年产生有其深刻的根源。

东汉以来，统治危机日益严重，整个社会迷信思想泛滥，社会的动荡和生活的无助使贵族和民众都对现实失去了信心，精神世界的终极关怀便渐渐鼓胀起来，道教适时地虚构了一个美好的神仙世界，告诉人们可以通过道德的修养、身心的修炼而成神成仙，在超现实的世界里才能永远摆脱现实社会中存在的种种困难，人们美好幸福的生活最后只能在那超现实的彼岸世界中实现，因而博得了人们

东汉道教源流图

的青睐。在黄老道发展为道教的过程中，佛教的东传无疑起了催化和借鉴作用，道家在采用儒家伦理道德观的基础上，吸收了佛教的因果报应说，学习佛教的仪式经典，最终发展成为了一门独立的宗教。

　　远古的自然崇拜、三代以来的鬼神崇拜和神仙信仰是道教产生的信仰根源。自然崇拜在我国古代十分流行，日月星辰等自然物都是崇拜的对象。这是在人类力量还相对弱小的情况下，出于对自然的依赖和畏惧而自然产生的思想信仰，这种崇拜为道教所吸收和继承。道教一直保留着某些自然崇拜，并且在其神团中有数不清的自然神。早在殷周时代，人们就已经形成了以上帝、鬼神为中心的敬天祀祖的信仰系统，鬼神崇拜成了新的实力强大的信仰力量。秦汉时代，从皇帝到百姓都以恭敬的态度祭祀鬼神，这种强烈的鬼神崇拜依然为道教所继承和发展。《庄子》中多处对神人、至人、真人等神仙生活和法术作了浪漫的形容；《楚辞》中也有很多关于吐故纳新、导引食气之类的神仙思想；秦始皇和汉武帝对永生和仙人不死药孜孜不倦的寻求更助长了整个社会对神仙信仰的热心，甚至在肉体死亡后还向往着多彩的仙境，宏大神秘的升仙畅想曲长久地回响在一座座幽闭的墓葬中。而正是这种追求白日飞升、长生不老的神仙信仰后来逐渐成为了道教的基本信仰。

　　道教讲究召神降鬼、祈福禳灾、修仙养生等道术仙法，这也是对古代巫术及方仙术的继承和发挥。巫术是自然崇拜和鬼神崇拜发展的产物，在春秋战国乃至秦汉时期，巫术活动极为盛行，在社会政治生活中指手画脚，更在民间歌舞降神。

先秦道家思想主要体现在老子和庄子关于"道"的思想上。《老子》说："有物混成，先天地生，寂兮寥兮，独立而不改，周行而不殆，可以为天地母。吾不知其名，故强字之曰'道'。"又说："道生一，一生二，二生三，三生万物""天下万物生于有，有生于无。"老子的"道"就是混沌未分的原始状态，是世界万物的创造者。庄子进一步认为"道"就是气，是构成万物的材料，"是故天地者，形之大者也，阴阳者，气之大者也；道者为之公。"又说"人之生，气之聚也。聚则为生，散则为死。"道家的这种虚无之道，后来为道教所改造和继承，《太平经》提出了"无气行道，以生万物，天地大小""无不由道而生者也"的观点。

另外，《老子》避世离俗的"清静无为"的思想，尽管强调"不言药，不言仙，不言白日升青天"，还是被道教巧妙地吸收了，成为道教养生理论的组成部分；《庄子》的神仙思想和修炼指导更被道教奉为经典。"乘云气，骑日月，而游乎四海之外"的至人、"不食五谷，吸风饮露，乘云气，御飞龙"的神人形象历来为方士、道士所颂扬和向往。

道教的乖巧之处是吸收了儒家的伦理纲常思想，这使得它在儒家势力盛大、讲究礼仪规范的国度里不至于引起上层的反对。《太平经》《老子想尔注》等道教经典都把忠孝作为升仙的前提，所谓"道用时，家家慈孝，皆同相类，慈孝不别"。墨家"兼相爱，交相利""大不攻小也"等倡导人们相亲相爱的思想都在《太平经》中有所反映。

道教长生成仙的思想来源于阴阳五行相生相克的思想。强调成仙之道，要与"金木水火土"相协调，五行"和则相生，战则相克"，相克则五藏伤，"五藏以伤，道不能治"，而关于阴阳四时、灾异谴告等说法显然受谶纬的影响。

战国以来的方仙道和秦汉时期的黄老道与道教也有着至深的根源。方仙道是方士们将神仙学说及方术与阴阳五行结合起来的神仙理论，主要流行于战国时燕齐等地的上层社会，以祈求长生成仙为修炼目标。从战国中期到武帝时期，方士们与帝王相互鼓吹，掀起了寻求仙药的高潮，方士们昂首挺胸地穿梭于宫廷、诸王府和炼丹房之间，这是一个被成仙思想蛊惑的近似疯狂的时代。

但当美好的愿望在大胆的欺骗中一次次地破灭之后，武帝的一道罪己诏书宣告了方士们宫廷道路的结束。同时，受宠于汉初的黄老之术，由于其清静无为、与民休息的政治之术难以与发展到顶点的帝国气象相适应而失势了，不得不在"无可奈何花落去"的感叹中，适时藏拙，暂放下经世治国的政治热心，把视线转向长生养性的养身之术；黄老学大致产生于战国中期，海滨齐国仍然是它的渊源地，在转向以前，它基本上是一个政治、哲学流派。而此时方士们也不再满足于阴阳五行学说，而对黄老之学产生了新的兴趣，于是，以汉武帝"独尊儒术"为转折点，黄老学和方仙道逐渐结合。面对儒士们对神仙思想的指斥和穷追猛打，一些方士神仙家们干脆打起了道士的名号，托名黄帝、神化老子来宣扬神仙之说，与黄老进一步合流。

当黄老道抬出黄帝、老子向诸侯王说教之时，一度博得了诸侯王的共鸣，奉若神明，"共祭黄老君，求长生福"成为一时风尚。然而黄老道要在贵族中站稳脚跟也非易事。在明帝、章帝之际，当一些诸侯王带着好奇之心走进黄老道的福地洞天顶礼膜拜的时候，却多被牵涉在政治风波中难以自保，于是，道士们仍与其前辈——西汉末方士的遭遇大致相同。一些道徒在得不到上层的支持、黯然神伤的同时，开始挟着符咒和治病的方术又走向了民间。回到了最初的起点，这无形中为道教的产生奠定了民众基础。

然而黄老道终于时来运转了，它得到了桓帝的信仰而开始勃兴，"桓帝事黄老道，悉毁诸房祀"，还多次遣人到苦县（今河南鹿邑东）祭祀老子。这位春秋时代的区区守藏室之史，万万想不到在数百年之后，已经"灰飞烟灭"的自己还能成为至高无上之君，享受帝王的顶礼膜拜。于是以神仙不死之说为中心的黄老道在桓帝的煽动之下，在民间也酝酿起来，正如《水经注·汲水注》所说："好道之俦，自远方集，或弦琴以歌太一"。不过，那时社会矛盾已处于炽热化状态，因而民间的宗教活动终究不会按照统治者的意愿去运转，他们往往是以"黄老道"这合法招牌作掩护，进行自己的济世活动。

当此之时，经过长期酝酿，有组织、有道书、有信仰和简单仪式、充分反映我国汉民族思想文化特点的道教组织——五斗米道和太平道应运而生。

五斗米道的创始人就是儒生、沛国丰人张陵，字辅，汉曾任江州令。早年在江苏、浙江等地讲诵《老子》，并作《老子想尔注》。汉顺帝时与弟子前往鹤鸣山。顺帝永和六年（141），自称老子亲授"太上三天正法经""正一盟威妙经"，并命他为天师。于是张陵亲自订立教规，用符水咒法为民治病，四处传道，辗转二十四个名山福地，广收信徒，势力扩展到关中咸阳一带。凡入道者须交纳五斗米，故称"五斗米道"。道徒以《老子》为经典，于是道教开始定型化，它的第一个教派——五斗米道正式登上历史舞台。

张陵死后，其子张衡继承父业，再传给儿子张鲁。张鲁继父祖之业，大力整顿和发展五斗米道，实行政教合一政策，雄据汉中达三十八年之久。后来张鲁投降曹操，被封为万户侯。其后，他的子孙以江西贵溪的龙虎山作为传教基地，改称"天师道"，渐渐追逐统治政权，失去五斗米道的性质，成为了御用道教的正统。

太平道是由黄老道演变而来的，领袖是冀州人张角，以"黄天太平"为号召。太平道的教义、教规与五斗米道大致相同，主要是用符水咒语、向神忏悔等治病办法和法术吸引群众。它的理论基础直接来源于《太平经》，这是从西汉末年开始到东汉顺帝时经长时间的集体智慧酝酿而成的，对原始道教的创立产生了重要影响。张角在传道的过程中以黄老"善道"教化天下，经过十余年的创教活动，终于建立了一个拥有几十万教徒的道教组织。后来太平道因发动黄巾起义而遭到残酷镇压，从此便销声匿迹了，道教的活动一度受到政府的严厉禁止。

原始道教的形成经历了一个漫长而曲折的历史过程，在近三百年的漫漫长途中，从战国以来方仙道的勃兴、与黄老派的合流、黄老道的曲折历程，直到汉末五斗米道、太平道的相继出现，使道教发展成为有组织性的宗教体系，之后又经历了数百年的发展，到南北朝时期，道教才真正成为了完备形态的宗教。

附录

大事年表

春秋战国·秦汉

前551年

　　·孔子（前551～前479）诞生

前510年

　　·孔子问礼于老子。老子遗有《老子》

前479年

　　·孔子卒。传世《论语》是孔门师生问答记录

前476年

　　·春秋时期结束

　　·中国第一部诗歌总集《诗经》成于春秋时期

　　·春秋战国之际已有指南针——司南

　　·春秋战国时期盛行"钟鼓之乐"（1978年在曾侯乙
墓出土编钟）

前475年

　　·战国（前475～前221）时期开始

前464年

　　·《左传》记事止于本年，成书稍后

前376年

　　·墨子卒。著有《墨子》

前367年

　　·赵与韩攻周，分周为二，称西周、东周

前356年

　　·秦孝公任用商鞅定变法之令

前307年

　　·赵武灵王始行胡服骑射

前299年

　　·秦伐楚，楚怀王受骗入秦，被扣留

前289年

　　·孟子卒。著有《孟子》

前286年

　　·庄子（约前369～前286）卒。著有《庄子》

前278年

　　·秦白起克郢，楚迁都陈（今河南淮阳）

　　·楚辞开创者屈原（前340～前278），投汨罗江殉志

前249年

　　·秦灭东周，周亡

前239年

　　·《吕氏春秋》成书，为秦相吕不韦门客编撰

前233年

　　·韩非（约前280～前233）入秦，被害。著有《韩非子》

前228年

　　·燕太子丹使荆轲刺秦王，未遂被杀

前221年

　　·《黄帝内经》成书于战国年间

　　·《战国策》记事止于秦灭六国

　　·战国时期已广泛使用铁器

　　·秦王政称始皇帝，建立秦朝（前221～前206）

前220年

　　·始皇北巡。全国修驰道，东通燕、齐，南达吴、楚

前219年

　　·始皇东巡，封禅于泰山、梁父。又南巡

　　·始皇命监禄开灵渠

前213年

　　·用李斯建议，下令焚书

前212年

　　·坑杀方士、儒生

　　·造阿房宫、骊山陵

前207年

　　·赵高杀胡亥，立子婴，贬号为秦王

　　·云梦秦简留存（1975年在湖北出土）

前206年

　　·刘邦至灞上（今西安东南），秦王子婴降，秦亡

前202年

· 刘邦称帝，建立汉朝（前202～公元220），都洛阳

前192年

· 发百姓筑长安城

前140年

· 汉武帝（前156～前87）建元元年。帝王用年号纪年始于此

· 董仲舒（前180～前115），请黜刑名，崇儒术，被汉武帝采纳

前138年

· 张骞出使西域

前134年

· 初令郡国举孝廉各一人，察举制确立

前115年

· 张骞使西域还；西域始通于汉。丝绸之路始畅通

前108年

· 朝鲜降汉，汉以其地置四郡

前104年

· 司马迁（前145或前135～？）始著《史记》，约公元前93年完成，为中国第一部纪传体通史著作

前100年

· 苏武使匈奴被扣，羁留十九年，始归汉

· 《周髀算经》约于本年成书

前51年

　　·汉宣帝召诸儒于石渠阁，讲论五经异同

前7年

　　·刘歆典领五经，奏上《七略》，为中国第一部目录学著作

8年

　　·王莽即真天子位，国号新

25年

　　·刘秀即帝位，建元建武，定都洛阳。东汉始

50～100年

　　·《九章算术》成书

56年

　　·起明堂、灵台、辟雍，宣布图谶于天下，谶纬之学成为官方统治思想

57年

　　·委奴国来贡，汉光武帝赐赠"汉委奴国王"金印

65年

　　·楚王刘英奉缣帛赎罪，诏还之，令助伊蒲塞（佛教男信徒），中国人崇信佛教见于记载由此始

68年

　　·汉明帝于洛阳首建佛寺，后名白马寺

73年

　　·窦固遣班超使西域；西域与汉绝65年，至此复通

79年

·汉章帝诏诸儒会于白虎观，讲论五经同异

88年

·王充于本年前后著成《论衡》

92年

·汉和帝与宦官郑众定议诛窦宪，宦官初用权

·班固（32~92）卒。所著《汉书》开创断代史体例

94年

·班超大破焉耆、尉黎，西域五十多国皆纳质内属

97年

·班超遣甘英使大秦（今罗马）、条支（今伊拉
克），至安息（今伊朗）西界而还

105年

·蔡伦发明造纸术，监造出良纸

117年

·张衡（78~139）制造出大型天文计时仪器漏水转浑
天仪

121年

·许慎的《说文解字》书成

132年

·张衡创制地震仪器候风地动仪

164~190年

·中国发明瓷器

166年

· 马融（79～166）卒。生平遍注《诗》《书》《易》《三礼》《论语》《孝经》

175年

· 诏诸儒正五经文字，命蔡邕以古文、篆、隶三体书写，刻石立于太学门外，是为熹平石经

200年

· 曹操大破袁绍于官渡

· 郑玄（127～200）卒。所著《毛诗笺》《三礼注》影响深远

208年

· 华佗（？～208）卒，所发明麻沸散，为世界医学史上最早的全身麻醉剂，又创作医疗体操"五禽戏"

216年

· 曹操进号魏王

219年

· 张仲景（150～219）卒。撰有《伤寒杂病论》，世人奉为"医圣"